WOLVENBLOED

Boeken van Darren Shan:

DARREN SHAN

WOLVENBLOED

Demonata-serie

BOEK 5

De Fontein

Voor:
Mary Barry (mijn ijzingwekkende oma), die het van een veel
woester monster heeft gewonnen dan Grubbs Grady ooit is
tegengekomen! Ik ben blij dat je nog bij ons bent, ouwetje!

OBI (Orde van de Bloedige Ingewanden) voor:
Catherine 'de keler' Holmes
Katie McGowan – er is een nieuwe killer in ons midden!

Magiër-overste:
Stella 'de priem' Paskins

Magische ondersteuning:
Christopher Littles crew

www.darrenshan.com
www.defonteinkinderboeken.nl

Oorspronkelijke titel: *Blood Beast*
Verschenen bij HarperCollins *Children's Books*, een onderdeel
van HarperCollins Publishers Ltd, Londen
© 2007 Darren Shan
Voor deze uitgave:
© 2008 Uitgeverij De Fontein, Baarn
Vertaling: Marce Noordenbos
Omslagafbeelding: Mel Grant
Omslagontwerp: Wouter van der Struys
Grafische verzorging: Text & Image

ISBN 978 90 261 2301 6
NUR 283, 284

Deel 1

Loch

Vervloek het zandmannetje

Mijn handen zijn rood van het bloed. Ik ren door een bos. Naakt, maar het maakt me niet uit. Ik ben een dier en geen mens. Dieren hebben geen kleren nodig.

Ik proef ook bloed op mijn tong. Ik moet net hebben gegeten. Kan me niet meer herinneren of het een wild dier of een mens was. Het maakt me ook niet uit wat het was. Ik heb nog steeds honger – dat is het enige wat telt. Ik moet op zoek naar nog iets om mijn tanden in te zetten. En snel.

Ik spring over een omgevallen boomstam. Bij het neerkomen raken mijn blote voeten de twijgen. Ze knappen en mijn voet verdwijnt in een modderpoel. Ik val, jankend. De twijgen bijten zich in me vast. Ik vang een glimp op van priemende rode ogen, die vanuit de modder omhoog kijken. Het zijn geen twijgen; het zijn tanden! Ik haal uit met mijn voet, slaak een geluidloze kreet...

... modder en stukken bast vliegen in het rond. Wantrouwend staar ik naar de kledderige zooi en mijn hartslag daalt weer tot normaal. Ik heb me vergist. Ik ben niet ten prooi gevallen aan een monsterlijke baby met muilen in zijn handpalmen en vlammende kolen in plaats van ogen. Het is gewoon een modderig gat, bedekt met halfvergane takken en bladeren.

Vloekend kom ik overeind en veeg mijn voeten af aan een graspol. Terwijl ik met mijn nagels een splinter verwijder hoor ik een stem: 'Grubbs...'

De naam dringt niet direct tot me door. Dan herinner ik het me: het is míjn naam. Of dat was het, ooit. Waakzaam kijk ik op, snuif de lucht op, maar het enige wat ik ruik is bloed.

'Grubitsch...' mompelt de stem, en ik grom kwaad. Ik haat mijn echte naam. Grubbs is al niet geweldig, maar het is beter dan Grubitsch. Niemand heeft me ooit zo genoemd, behalve mijn moeder en mijn zus Gret.

'Je kunt me toch niet vinden,' klinkt de stem pesterig.

Ik brul naar de duisternis en spring dan het struikgewas in waarvandaan de stem lijkt te komen. Ik storm er dwars doorheen, maar aan de andere kant bevindt zich niets.

'Mis,' zegt de stem lachend, achter me.

Ik draai me razendsnel om en tuur de duisternis in, maar ik zie niemand.

'Hier,' fluistert de stem. Dit keer klinkt hij rechts van me.

Met mijn ogen nog steeds samengeknepen beweeg ik me behoedzaam in de richting van het geluid. Het voelt niet goed, alsof het een valstrik is. Maar het lukt me niet om weg te lopen. Ik word naar de stem toe getrokken door nieuwsgierigheid, maar ook door iets anders. Het is de stem van een meisje, en ik denk dat ik weet wie het is.

Beweging aan mijn linkerkant, net op het moment dat ik achter een boom vandaan wil komen. Acht lange, bleke armen wuiven in het maanlicht. Tientallen kleine slangen kronkelen en sissen. Ik schreeuw het uit van angst. Ik werp me tegen de boom aan en bedek vol afschuw mijn ogen. Seconden gaan voorbij, maar een aanval blijft uit. Ik laat mijn handen zakken en kom tot de ontdekking dat de armen gewoon takken waren van de bomen naast me. De slangen waren ranken, bewegend op de wind.

Ik voel me misselijk, maar ik dwing mezelf te lachen. Vervolgens sluip ik om de boom heen en ga weer op zoek naar degene die me riep.

Ik kom bij een vijver. Met gefronste blik kijk ik ernaar. Ik ken dit bos en er zou op deze plaats geen vijver moeten zijn. Maar toch ligt hij daar, de volle maan weerspiegeld in zijn rimpelloze oppervlak. Ik heb dorst. Het bloed op mijn tong is opgedroogd en heeft een laffe kopersmaak achtergelaten. Ik buk me om uit de vijver te drinken. Als een wolf kom ik op handen en voeten en laat mijn hoofd naar het water zakken.

Voordat ik een slok neem zie ik mijn gezicht in het spiegelende wateroppervlak. Overal bloed, op mijn huid en vastgekoekt in mijn haar. Mijn ogen sperren zich open en vullen zich met angst. Niet vanwege het bloed, maar omdat een schaduw verraadt dat er iemand achter me staat.

Ik wil me omdraaien, maar het is te laat. Het meisje duwt mijn hoofd hardhandig omlaag en ik ga kopje-onder. Het water stroomt mijn mond in en ik kokhals. Ik probeer me te verzetten, maar het meisje is sterk. Ze houdt me onder en mijn longen vullen zich met water. Ik proef nog steeds de koperachtige smaak. Verbijsterd en vol afschuw knipper ik met mijn ogen wanneer het tot me doordringt dat de vijver in werkelijkheid een poel van bloed is.

Op het moment dat mijn lichaam slap wordt trekt het meisje me bij mijn haren omhoog. Ik hap in doodsangst naar adem en het meisje lacht schril. 'Je bent altijd al een hopeloze lafbek geweest, Grubitsch,' zegt ze snerend.

'Gret?' kreun ik, terwijl ik in het spottende gezicht van mijn zus kijk. 'Ik dacht dat je dood was.'

'Niet dus,' antwoordt ze met schorre stem. Haar ogen vernauwen zich en haar snuit wordt langer. 'Maar jij wel.'

Ik huil als ik zie dat haar gezicht begint te veranderen in dat van een weerwolf. Ik wil wegrennen, of slaan, maar ik blijf haar aanstaren. En dan, wanneer de transformatie zich heeft voltrokken, opent ze haar mond wijd en huilt. Haar hoofd schiet naar voren. Haar tanden sluiten zich rond mijn keel. Ze bijt.

Ik word wakker en snak naar adem. Ik wil het uitschreeuwen, maar in mijn verbeelding hebben Grets tanden zich om mijn keel gesloten. Nog half in de droomwereld haal ik uit naar mijn dode zus. Wanneer mijn armen niets raken, wrijf ik mijn ogen uit en langzaam maar zeker komt de slaapkamer weer in beeld.

Zachtjes kreunend kom ik overeind en ga op de rand van het bed zitten. Met mijn gezicht in mijn handen zie ik in gedachten de afschuwelijke beelden uit mijn droom weer voorbij komen. Ik huiver en sta op om naar de wc te gaan. Het heeft geen zin om te proberen weer in slaap te vallen. Ik weet uit ervaring dat de nachtmerries dan alleen maar nog erger zullen zijn.

Op de drempel van de badkamer sta ik even stil, er opeens van overtuigd dat er demonen schuilen in de schaduwen. Als ik het licht aandoe, zullen ze aanvallen. Ik weet dat het belachelijk is, een nawee van de nachtmerrie, maar desondanks blijft mijn vinger trillend in de lucht hangen bij het lichtknopje, en weigert.

'Wat kan mij het ook schelen,' verzucht ik uiteindelijk en ik loop door. Deze nacht, zoals zo vele, geef ik mijn angst zijn zin en zoek ik mijn weg wel in het donker.

Misery

'Natuurlijk heb ik nachtmerries, wie niet?'
   'Elke nacht?'
   'Nee.'
   'De meeste nachten?'
   Stilte.
   'Nee.'
   'Maar wel vaak?'
   Ik haal mijn schouders op en kijk de andere kant uit. Ik zit in het kantoor van meneer Mauch. Misery Mauch, de schoolpsycholoog. Een paar keer per week heeft hij spreekuur. Kletst wat met leerlingen die moeite hebben met hun huiswerk, de groepsdruk, opdringerige ouders. Gewone kinderen met gewone problemen.
   En dan heb je mij.
   Misery vindt het heerlijk om al mijn ellende tot in de finesses te bespreken.
   En waarom ook niet? Iedereen kent hier het verhaal van Grubbs Grady: ouders en zus voor zijn ogen afgeslacht... maandenlang opgesloten gezeten in een gekkenhuis ('in detentie geplaatst in een voorziening voor tijdelijk gestoorden' noemde Misery het)... in Carcery Vale beland en ingetrokken bij zijn oom Derwisj in een spookachtig oud huis... die oom had

ze al snel niet meer op een rijtje... Grubbs deed een jaar lang dienst als verpleger totdat zijn oom was genezen... ging met Derwisj en zijn vriend Bill-E Spleen maanden later naar de opnames van een film... was getuige van de tragische dood van honderden mensen bij een verwoestende brand die de filmset in de as legde...

Met zo'n geschiedenis ben ik een dinosaurisch bot voor elke psychiatrische hond binnen een straal van honderd kilometer!

'Zou je me meer over je dromen willen vertellen, Grubitsch?' vraagt Misery.

'Nee.'

'Weet je het zeker?'

Ik heb zin om te lachen, maar doe het niet. Er schuilt geen kwaad in Misery. Erg leuk kan het niet zijn om dag in dag uit, jaar in jaar uit langs dezelfde paar scholen te trekken en steeds dezelfde saaie puberproblemen aan te horen. Als ik hem was zouden mijn handen even hard jeuken om een leerling met zo'n heerlijk verknipt verleden als ik te pakken te krijgen.

'Grubitsch?' probeert Misery na een paar seconden opnieuw.

'Hm?'

'Het kan helpen om me over je dromen te vertellen. Gedeelde smart is halve smart.'

En wat is een gedeeld cliché? wil ik bijna vragen, maar ook nu houd ik me in. Ik zou Misery's dag verpesten als ik hem zo afblafte. Hij zou in tranen kunnen uitbarsten.

'Zo erg is het niet, meneer,' zeg ik in plaats daarvan. Ik wil het gesprek beëindigen, want ik wil de natuurkundeles niet missen. Ik vind dat een leuk vak.

'Noem me alsjeblieft William, Grubitsch.'

'Het spijt me, meneer, ik bedoel William.'

Misery glimlacht breed, alsof hij een doorbraak heeft bereikt. 'Als de nachtmerries niet weggaan, is het wel erg,' dringt hij vriendelijk aan. 'Als je me er meer over vertelt, kunnen we misschien samen een manier vinden om ze te stoppen.'

'Ik denk het niet,' reageer ik iets scherper dan de bedoeling was. Hij heeft het over dingen die hem volkomen boven zijn pet gaan. Ik vind het niet erg dat de schoolpsycholoog interesse in me toont, maar ik stoor me aan zijn onhandige pogingen om als tweederangs speurneus geheimen aan mijn brein te ontfutselen.

'Ik wil je niet voor het hoofd stoten, Grubitsch,' zegt Misery snel, omdat hij in de gaten heeft dat hij te ver is gegaan.

'Om eerlijk te zijn, *meneer*,' zeg ik stijfjes, 'denk ik dat u niet bevoegd bent om dit soort dingen te bespreken.'

'Nee, nee, natuurlijk niet,' stemt Misery in en zijn gezicht betrekt. 'Ik wil niet pretenderen meer te zijn dan ik ben. Mijn excuses als ik die indruk heb gewekt. Ik dacht alleen dat het zou kunnen helpen, mocht je in de stemming zijn om te praten. Het zou een begin kunnen zijn. Natuurlijk is het niet mijn... ik heb niet de illusie... zoals je zegt, ik ben niet bevoegd om...' Zijn stem sterft langzaam weg.

'Niet instorten,' zeg ik lachend. Ik voel me schuldig. 'Het is allemaal niet zo erg. Ik wil gewoon met niemand over mijn dromen praten. Nu niet.'

Misery slikt moeizaam, knikt afgemeten en zegt dat ik kan gaan. Hij laat me weten dat hij er volgende week weer is, maar niet naar mij zal vragen. Hij zal me wat ademruimte geven. Over een maand of twee zal hij weer naar me vragen, om wat 'te babbelen'.

Bij de deur aarzel ik. Ik wil hem niet zo somber achterlaten – hij zit met zijn hoofd over zijn aantekeningen gebogen en ziet eruit alsof hij met moeite zijn tranen wegslikt.

'Meneer Mau- William?' Hij kijkt nieuwsgierig op. 'De volgende keer mag je me als je wilt Grubbs noemen.'

'Grubbs?' herhaalt hij onzeker.

'Zo noemen mijn vrienden me.'

'O,' zegt hij en zijn gezicht begint te stralen alsof hij de lotto heeft gewonnen.

Ik glip naar buiten en verberg mijn glimlach. Schoolpsychologen – kinderspel!

Lunchpauze. Loch wil weten waar ik het met Misery over heb gehad.

'De omvang van jouw hersenen,' vertel ik hem. 'We verbaasden ons erover hoe klein ze zijn.'

'Maak je maar geen zorgen over de omvang van míjn hersenen,' snuift Loch. 'Met mijn hersenen is niets mis. Ze zijn heel wat gezonder dan jouw erwt van een denktank.'

'Hoe groot zijn hersenen eigenlijk?' vraagt Charlie. Iedereen staart hem aan. 'Ik bedoel, vullen ze je hele hoofd?' Hij duwt met zijn vingers tegen zijn schedel, op zoek naar zachte plekken.

'In jouw geval betwijfel ik het,' antwoordt Loch. 'Bij jou kan er waarschijnlijk nog wel een voetbal bij.'

Gelach alom. Zelfs Charlie lacht. Hij is eraan gewend geraakt om het doelwit van onze grappen te zijn. Het kan hem niet schelen. Het zijn altijd speelse grappen. Iedereen mag Charlie Rall. Hij is te aardig om hatelijk tegen te doen.

Wij zessen, schuilend voor de regen in een deuropening met uitzicht op het voetbalplein. Op het plein is het gebruikelijke clubje rouwdouwers een versleten oude bal – en elkaar – lens aan het trappen, ongevoelig voor de regen.

Mijn groepje: Loch, Charlie, Frank, Leon, Mary en ik. Loch en ik steken ruim een kop boven de rest uit. We zijn de twee grootste stommelingen van de school en dat is de reden dat we elkaars gezelschap zochten. Loch is worstelaar. Hij wilde dat ik zijn partner werd en zo werd hij mijn vriend. Ik heb de boot een hele tijd afgehouden – echt worstelen is heel wat anders dan die berekende en weinig spectaculaire vertoningen op tv – maar uiteindelijk heeft hij me weten te overtuigen om het te proberen. Ik ben niet echt goed en ik krijg er ook geen kick van, maar om Loch een plezier te doen ga ik elke maand mee naar een paar wedstrijden en sloof ik me uit op de matten.

'Ik vind dat Misery sexy is op een oude-mannenmanier,' zegt Mary en er klinkt een koor van verbaasd gejoel en gefluit.

'Val jij op Máúch?' Leon hapt naar adem en doet alsof hij een hartaanval krijgt.

'Nee,' antwoordt Mary koel. 'Ik zeg alleen maar dat hij sexy is. Ik durf te wedden dat er buiten schooltijd hordes vrouwen om zijn nek hangen.'

Het gelach sterft weg en de vijf testosterontastische jongens van de groep kijken elkaar onzeker aan. We geven het niet graag toe, maar meisjes van onze leeftijd weten heel wat meer over de wereld van de volwassenen dan wij. Volwassenen zitten anders in elkaar. Het is niet moeilijk om de populaire leerlingen en de losers van de school eruit te pikken, te zeggen wie cool is en wie een nerd. Maar de wereld daarbuiten is verwarrend. Profsporters zijn natuurlijk cool, net als acteurs, popsterren en dergelijke. Maar hoe zit het met gewone mensen? Wat maakt een gewone man aantrekkelijk voor een vrouw? Ik weet het niet. Maar als Misery Mauch 'het' heeft, zou de toekomst er voor ons vijven wel eens somber kunnen uitzien. Te oordelen naar hun fronsende blikken denken de anderen er blijkbaar precies zo over.

Terwijl we ons proberen neer te leggen bij een wereld waarin Misery Mauch een seksgod is, komen Reni en Shannon aanlopen, arm in arm en giechelend om een vertrouwelijk grapje.

'Ik had het net met de jongens over hoe sexy meneer Mauch is,' zegt Mary.

'William?' vraagt Reni en ze knikt bedachtzaam. 'Hij is een lekker stuk.'

'*William*?' blaft Loch tegen zijn zus.

'Zo mocht ik hem noemen.'

17

'Ik wist niet dat jij gesprekken met hem had,' gromt Loch.

'Er is nog veel meer dat je niet van me weet,' zegt Reni zwoel. Ze trekt een wenkbrauw op en kijkt Shannon aan. 'William Mauch, saai of een stuk?'

'Superstuk,' zegt Shannon ernstig, en ze barst vervolgens in lachen uit. 'Sorry hoor! Jullie gezichten!'

'Tuig,' snauwt Leon terwijl de andere meisjes ook in een gierend lachen uitbarsten. 'Dat was niet grappig.'

'Het was hilarisch,' reageert Reni en de tranen rollen over haar wangen. 'Jullie zijn zo makkelijk op de kast te krijgen. Stel je voor, Misery Mauch als pin-up!' Ze lacht nog harder.

'Hier,' zeg ik en ik bied Reni mijn zakdoek aan.

Reni glimlacht lief en droogt haar wangen met de zakdoek. Vier paar lippen tuiten zich onmiddellijk – een fluitconcert.

'Grubbs is op Reni...' zingt Frank.

'Barst,' brom ik en onverstoorbaar pak ik mijn zakdoek van Reni aan, reden tot nog meer gefluit.

De lunchpauze vliegt zoals gewoonlijk voorbij. Zo veel om over te praten: vrienden, leraren, huiswerk, tv, films, computerspelletjes, muziek, worstelen, de grootte van hersenen. Robbie McCarthy komt halverwege de pauze bij ons zitten. Hij is geen vast lid van onze groep, maar de laatste tijd kruipt hij steeds dichter tegen Mary aan en dus moet hij wel met ons optrekken.

Ik maak vaak grapjes met Reni. De zakdoek was speciaal voor haar. Het is er een van Derwisj. Ik gebruik papieren zakdoekjes, net als de rest van de mensen die niet in de middeleeuwen leven. Ik heb hem al weken op zak, in afwachting van een gelegenheid om hem aan haar te geven. Melig en bedoeld als grap, maar ook half serieus. Een gelegenheid om een glimlach en een tedere blik uit te wisselen.

Reni weet dat ik haar leuk vind. En ik denk dat zij deze Grubbster wel ziet zitten. Maar ik heb niet zo veel ervaring met dit soort dingen. De kans is groot dat ik de signalen verkeerd heb geïnterpreteerd. Dat zal ik pas weten wanneer ik de moed bijeen heb geraapt om een arm om haar heen te slaan en haar een zoen te geven, maar ik denk dat ik een goede kans maak.

Loch weet er wel raad mee. Ik heb gezien hoe hij doet tegen de andere jongens die Reni proberen te versieren: hij blaast zichzelf op om nog groter te lijken dan hij al is en gromt als een beer om ze af te schrikken. Als Reni een oogje op een van hen had, zou ze hem wel laten weten dat hij moest ophoepelen. Maar meestal laat ze hem de beschermende grote broer spelen en moedigt ze hem zelfs aan.

Het is belangrijk om Lochs goedkeuring te hebben. Hij is mijn beste vriend. Je gaat niet daten met de zus van je beste vriend zonder zijn toestemming. Dat doe je gewoon niet.

Tegen het eind van de lunchpauze schuifelt er een klein, mollig jongetje met een lui linkeroog op ons af, en het schuldgevoel dat bij me opwelt is nog sterker dan dat in het kantoor van Mauch.

'Hoi Grubbs,' zegt Bill-E en hij glimlacht hoop-vol.

'Hoi,' zeg ik kreunend.

'Hé, Bill-E! Hoe gaat 'ie, gozer?' roept Loch en hij steekt zijn hand uit. Bill-E steekt automatisch ook zijn hand uit, maar Loch trekt de zijne razendsnel terug, zet zijn duim op zijn neus, steekt zijn tong uit en beweegt zijn vingers heen en weer. 'Eikel!'

Bill-E wordt rood maar weet een flauwe glimlach op zijn gezicht te toveren. Schaapachtig laat hij zijn hand zakken.

'Heel volwassen,' zegt Reni droog, en ze kijkt haar broer bestraffend aan.

'Dat vindt dit onderdeurtje niet erg, nee toch, Spleen?' Loch grijnst en neemt Bill-E's hoofd in een houdgreep.

'Nee, hoor,' zeg Bill-E met gesmoorde stem.

Loch laat hem los en woelt door zijn haar.

Bill-E glimlacht nog steeds, maar de glimlach is heel gespannen en zijn gezicht is vuurrood. 'Hoe gaat het ermee, Grubbs?'

'Niet slecht. En met jou?'

'Best.'

We glimlachen onhandig naar elkaar. De rest van de groep staart ons een paar seconden aan. Dan komen de gesprekken weer gewoon op gang, behalve dat wij er geen deel aan hebben.

'Heb je plannen voor het weekend?' vraagt Bill-E.

'Niet echt. Misschien wat worstelgrepen oefenen met Loch.'

'O. Ik was van plan om langs te komen en naar een paar films te kijken... als dat oké is?'

'Kap nou, man, dat hoef je toch niet te vragen.' Ik lach ongemakkelijk. 'Je kunt binnenvallen wanneer je maar wilt. Het is net zo goed jouw huis als het mijne.'

'Coolio!' Bill-E's glimlach neemt weer zijn normale vorm aan. 'Heb je zin om samen naar een film te kijken?'

'Misschien. Maar het kan zijn dat ik naar Loch moet om te oefenen, je weet wel.'

'Ja,' zegt Bill-E zacht. 'Dat weet ik.'

De bel gaat en we lopen allemaal terug naar de lokalen. Honderden kreunende, schreeuwende, lachende kinderen. Bill-E loopt de andere kant uit. Zonder gedag te zeggen. Ik zie hem eenzaam en alleen in de menigte lopen en ik voel me leugenachtig en gemeen, een gedrocht waar een made snel voor zou wegkruipen.

Bill-E Spleen was mijn beste vriend voordat Loch Gossel op het toneel verscheen. Toen ik na de dood van mijn ouders en mijn verblijf in het gekkenhuis hierheen verhuisde, gaf hij me het gevoel dat ik niet helemaal alleen op de wereld was. Hij hielp me weer een leven op te bouwen. Zorgde dat ik me thuis voelde op school, hield me gezelschap tijdens de lunchpauze toen iedereen nog voor me op z'n hoede was. Vocht aan mijn zijde op de filmset van Slagtenstein – en het was niet het vuur waar we de strijd mee moesten aanbinden. Hij probeerde me te helpen toen mijn nachtmerries niet lang daarna in volle hevigheid terugkwamen, hoewel hij zelf meer dan genoeg aan zijn hoofd had.

En hoe bedank ik hem daarvoor? Door hem in de

steek te laten omwille van mijn vriendschap met Loch, Reni en de anderen van ons groepje. Door met hem te kappen. Door een Judas te zijn.

Het is verkeerd, maar zo gaan die dingen. Als een oude vriend niet in je nieuwe vriendenkring past, kap je met hem. Het is de wet van de school. In het verleden heb ik vaker vrienden gedumpt en een aantal heeft hetzelfde met mij gedaan. Het verschil is dat Bill-E mijn halfbroer is. Ook al weet hij dat zelf niet.

Scheikunde. Meestal vind ik scheikunde interessant, maar vanmiddag kan ik me niet concentreren. Ik moet de hele tijd aan Bill-E denken. Het was niet mijn bedoeling om hem zo af te poeieren. Toen ik Loch net had leren kennen had ik nog tijd voor Bill-E. Ik zag Loch af en toe na school. Ik ging nog veel met Bill-E om.

Langzaam maar zeker veranderde dat. Loch nodigde me steeds vaker bij hem thuis uit en hij kwam ook regelmatig bij mij. Via Loch raakte ik bevriend met Frank Martin, Charlie Rall en Leon Penn. En via hen leerde ik Shannon Campbell en Mary Hayes kennen – en Reni, natuurlijk.

De gedachte aan Reni doet me Bill-E even vergeten. Ik dagdroom over haar schouderlange kastanjebruine haar, lange wimpers, lichtbruine ogen, haar rondingen... Niet dat ze perfect is: net als haar broer is ze groot en stevig, met een neus die op een springschans lijkt. Maar iedereen is het erover eens dat ze het meest sexy meisje van de hele school is.

Ik schud mijn hoofd om mijn dagdromen over

Reni te verjagen en mijn gedachten keren terug naar Bill-E. Al die nieuwe vrienden kostten me een hoop tijd. Het was opwindend om door hen geaccepteerd te worden, bij hun gesprekken te worden betrokken, als gelijke te worden behandeld. Het was lang geleden dat ik nog ergens bij hoorde. Ik had me niet gerealiseerd hoe belangrijk dat voor me was en hoezeer ik het had gemist.

Ik wilde dat Bill-E met ons meedeed, maar hij paste er gewoon niet bij. Ik weet niet waarom niet. Hij is jonger dan de meesten van ons – hij is een jaar eerder naar school gegaan – maar Leon is niet veel ouder. Hij is klein, maar Frank is ook geen reus. Hij gebruikt oubollige woorden als 'Coolio!', maar Robbies favoriete stopwoordje is ook absoluut niet cool: 'Radicaal!' Hij heeft een lui linkeroog, maar Charlie heeft hazentanden, Shannon heeft een lelijke moedervlek op haar gezicht, ik lijk een beetje op de Hulk... We hebben allemaal wel wat.

Bill-E is slim, grappig en een veel betere prater dan ik. Maar hij heeft op school nooit zijn plek gevonden. In het begin had ik dat niet door. Bill-E leek het normaalste kind van de wereld. Ik had wel door dat hij niet veel vrienden had, maar ik wist zeker dat hij beter bij de rest paste dan ik.

Na een tijdje begon het me op te vallen dat Bill-E nooit met iemand mee naar huis ging na schooltijd. Dat ze grappen over hem maakten en hem nadeden als hij bijvoorbeeld 'Coolio!' zei. Dat hij werd gepest door jongens als Loch Gossel.

Ik zie heus wel hoe Loch tegen Bill-E doet. Hij treitert hem de hele tijd, zoals vandaag met die zo-

23

genaamde handdruk en die houdgreep. Het is anders dan hoe hij tegen Charlie doet, gemener. Hij zet Bill-E voor schut, hij kleineert hem, geeft hem het gevoel dat hij niet gewenst is.

Ik heb vaak overwogen om er een stokje voor te steken dat Loch en de anderen Bill-E te grazen nemen. Als een van hen hem pijn had gedaan, zou ik het zeker voor hem opgenomen hebben. Maar pesten ligt ingewikkelder. Je kunt iemand geen klap verkopen omdat hij een sarcastische opmerking maakt, toch?

Ik had de zaak erger gemaakt als ik tussenbeide was gekomen, Bill-E tot een zwakkeling had gemaakt die niet voor zichzelf kan opkomen. Trouwens, zo erg was het niet. Zijn leven was niet een en al ellende. En hij had altijd míj nog om hem op te vrolijken.

De les is voorbij. Hierna Engels. Ik loop er in m'n eentje naartoe, stil, in gedachten.

Ik schaam me. Ik zou vanmiddag bij Bill-E langs moeten gaan. Hem moeten uitnodigen. Het weekend vrijmaken om met hem te kunnen zijn. Samen films kijken, popcorn eten, op zoek gaan naar de begraven schat van Lord Sheftree. Zoals vroeger.

Maar ik doe het niet. Ik ga liever gebukt onder het schuldgevoel, wacht totdat het voorbij is om vervolgens alles bij het oude te laten. Waardeloos, inderdaad, maar zo is het nu eenmaal. Misery Mauch zou er niets van snappen als ik het hem probeerde uit te leggen, maar ik weet zeker dat verder iedereen op onze school – en op alle scholen van de wereld – het wel snapt.

Nachtmerries

'Natuurlijk heb ik nachtmerries, wie niet?'

Met dat zinnetje had ik Misery afgepoeierd, maar op weg naar huis achtervolgt het me als een zwerfhond. Ik woon een kilometer of vijf buiten Carcery Vale, in een enorm groot oud huis van drie verdiepingen, vol met antiek en mystieke prullaria. Ooit was het eigendom van een tiran, Lord Sheftree genaamd, een alleraardigste kerel die het leuk vond om baby's in stukjes te hakken en aan zijn piranha's te voeren. Tegenwoordig is het huis van mijn oom, Derwisj Grady, die even rijk is als Lord Sheftree, maar veel machtiger, en die niet van die nare gewoonten heeft.

Wanneer ik thuiskom zit Derwisj in de keuken op een boterham te kauwen. 'Was het leuk op school?' vraagt hij me en hij geeft me de helft van zijn boterham.

'Gaat wel,' antwoord ik en ik neem een hap. Ham en kip. Lekker!

Derwisj ziet er nog precies zo uit als toen ik hem voor het eerst ontmoette. Mager, lang, kaal bovenop en grijs bij zijn slapen. Een stugge grijze baard die hij ongeveer een jaar geleden heeft afgeschoren maar die weer is aangegroeid. Priemende blauwe ogen. Gekleed in spijkerstof. Het enige verschil is de uitdrukking op zijn gezicht. Hij heeft meer rimpels en hij ziet eruit als iemand die nog aan het bijkomen is van een nachtmerrie. En dat is óok zo.

'Bill-E zei dat hij dit weekend misschien wil langskomen,' zeg ik.

Derwisj knikt en kauwt door. Hij weet dat er dingen zijn veranderd tussen Bill-E en mij, maar hij heeft er nooit iets over gezegd. Waarschijnlijk denkt hij dat het geen zin heeft; de situatie zal er toch niet beter op worden. Het is het beste als volwassenen zich buiten dit soort dingen houden. Het is algemeen geaccepteerd dat wij hun problemen niet kunnen oplossen, dus ik begrijp niet waarom ze zo vaak denken dat ze die van ons wel kunnen oplossen.

Ik vertel Derwisj over mijn gesprek met Misery. Hij is maar matig geïnteresseerd.

'Mauch is een aardige vent,' zegt hij, 'maar geen licht. Laat me maar weten als hij te nieuwsgierig wordt, dan zal ik een woordje met hem spreken.'

'Er moet heel wat gebeuren voordat ik types als Misery Mauch niet meer zelf aankan.' Ik snuif minachtend.

'O, Grubbs, wat ben je toch een mán!' zegt Derwisj dweperig en hij knippert met zijn oogleden.

'Krijg toch wat!' grom ik.

We lachen en eten onze boterham op.

Natuurlijk heb ik nachtmerries, wie niet?

Ik krijg dat stomme zinnetje niet meer uit mijn hoofd! De hele tijd tijdens het huiswerk maken, terwijl ik naar de televisie kijk, daarna naar muziek

luister en door een worsteltijdschrift van Loch bla-
der.

Iedereen heeft wel eens een nachtmerrie, tuurlijk,
maar ik vraag me af hoeveel mensen nachtmerries
hebben als de mijne. Uitzinnige dromen van demonen, massamoorden, een universum van webben en
monsters zo groot als een komeet. Allemaal geba-
seerd op eigen ervaring.

Ik ga rond halftwaalf naar bed, voor mij vrij normaal, maar de slaap laat op zich wachten. En wanneer hij komt...

Ik ben thuis in mijn slaapkamer, mijn eerste thuis.
Het bloed druipt uit de ogen van de voetballers op
de posters aan de muren, maar daar maak ik me niet
druk om. Gret komt binnen. Ze is langs haar rug in
tweeën gespleten. Haar darmen slepen achter haar
aan. Een demon met het lichaam van een hond en de
kop van een krokodil kauwt op haar ingewanden.

'Pa wil je spreken,' zegt Gret.

'Zit ik in de problemen?' vraag ik.

'Niet zo erg als ik,' verzucht ze.

De trap af naar de kamer van mijn ouders. Ik heb
deze weg al honderden keren afgelegd in mijn nachtmerries en elke keer weer voel ik de hitte en de angst.
Terwijl mijn hand op de deurknop rust, biggelen er
een paar tranen over mijn wangen, net als alle andere keren. Ik weet wat ik in de kamer zal aantreffen: mijn ouders, dood, en een weerzinwekkend zelfvoldane Lord Loss. Ik wil de deur niet openen, maar
doe het natuurlijk wel en alles voltrekt zich weer zoals die avond dat mijn wereld voor de eerste keer in-
stortte.

De kamer verdwijnt en ik bevind me in het gesticht. Mijn armen zitten vastgebonden, mijn gehuil weerkaatst tegen de muren, overal waar ik kijk denkbeeldige demonen. Dan vervaagt een van de muren tot een muur van webben. Derwisj klauwt zich er een weg doorheen. 'Ik weet dat de demonen echt zijn,' zegt hij. 'Ik kan je helpen.'

'Helpen ontsnappen?' vraag ik snikkend.

'Nee.' Hij houdt een spiegel omhoog en ik zie dat ik een weerwolf ben geworden. 'Helpen sterven,' sneert hij en met een bijl haalt hij uit naar mijn nek.

Ik trap de dekens van me af en rol uit bed. Met een klap kom ik op de vloer terecht en krabbel razendsnel een paar meter opzij, weg van mijn bijl-zwaaiende oom. Dan wordt mijn blik helder en dringt het tot me door dat ik wakker ben. Kreunend kom ik overeind en ik kijk op de wekker. Bijna één uur. Lijkt erop dat ik vannacht niet echt meer een oog zal dichtdoen.

Mijn T-shirt en onderbroek zijn doorweekt van het zweet. Ik trek andere kleren aan, ga naar de badkamer, gooi koud water over mijn gezicht en besluit een eindje door het huis te gaan wandelen. Ik ga vaak wandelen als ik niet kan slapen, op onderzoek uit in het doolhof van gangen en kamers, het is er veilig, ik weet dat me hier niets kan overkomen. Dit huis is beschermd door krachtige bezweringen.

Ik kruip door het oude, gerestaureerde deel van het huis, mijn voeten koud vanwege de stenen vloer, te lui om terug te gaan en mijn sloffen te halen. Ik kom bij een nieuwer deel, een doorn in het oog, dat aan het oorspronkelijke casco is geplakt toen dat onbewoonbaar was geworden. Derwisj heeft het er steeds over dat hij de aanbouw wil laten slopen, maar het is er nog niet van gekomen.

Ik ga terug naar de barokke pracht en praal van het oude gebouw en kom terecht in de portretten-galerij, zoals meestal tijdens dit soort slapeloze nach-ten. Tientallen schilderijen en foto's, allemaal van do-de familieleden. Er zitten veel jonge mensen bij, geveld lang voordat het hun tijd was – zoals mijn zus Gret.

Een eeuwigheid lang bestudeer ik Grets foto, met een brok in mijn keel, voor de miljoenste keer wen-send dat ik haar kon laten weten hoezeer het me spijt dat ik er niet was op het moment dat ze me no-dig had – het moment van haar lykantropie.

Het is de familievloek. Talloze familieleden wor-den weerwolven. Het zit al meer generaties in onze bloedlijn dan iemand zich kan herinneren. Het slaat toe in de puberteit. Velen van ons bereiken de leef-tijd van twaalf, dertien jaar... soms zelfs zeventien of achttien... en veranderen. Ons lichaam verandert. We raken buiten zinnen. Worden wilde beesten die leven om te doden.

We zijn niet het soort weerwolven als in de film, die veranderen wanneer de maan vol is en dan weer hun gewone gedaante aannemen. Wanneer de ver-andering zich bij ons eenmaal voltrekt, is dat voor altijd. Het slachtoffer heeft een paar maanden de tijd voordat de vloek definitief toeslaat, waarin hij of zij bij volle maan steeds een beetje gestoorder wordt. Maar dan komt de nacht van de volledige transfor-matie, daarna is er geen weg terug meer. Op een na. De weg van Lord Loss en de demonen.

Derwisj' studeerkamer. Ik speel schaak tegen mezelf op de computer. De studeerkamer is immens, zelfs gemeten naar de maatstaven van dit huis. In tegenstelling tot de andere kamers in het oude gedeelte ligt er vloerbedekking en de muren zijn bedekt met leren panelen. Er staan twee enorme bureaus, een aantal boekenkasten, een pc, een laptop, een typemachine. Aan de muur hangen zwaarden, bijlen en andere wapens. Derwisj had ze weggehaald toen hij slaapwandelde en me in zijn slaap aanviel, maar tegenwoordig is hij zo mak als een lammetje en dus hangen de wapens er weer. Maar de vijf schaakborden die hij hier ooit had staan heeft hij nooit teruggelegd, en daarom speel ik op de computer.

Gret was besmet met de familievloek. In een poging haar te redden sloegen mijn ouders de handen ineen met een demonenmeester, Lord Loss genaamd. Inderdaad, dit is geen wereld van louter weerwolven; ook demonen liggen 's nachts in de donkere gangen op de loer. De Demonata, om ze bij hun volledige naam te noemen.

Lord Loss is een afschuwelijk schepsel met een bleekrode huid vol gezwellen en een met slangen gevuld gat op de plek van zijn hart. Hij bloedt altijd uit duizenden kleine sneetjes en barstjes in zijn huid en hij zweeft in plaats van dat hij loopt. Hij gedijt op pijn. Hij jaagt op verdrietige, gekwelde mensen en voedt zich met hun ellende. Niets vindt hij zo aanlokkelijk als een mens die crepeert van de pijn – behalve misschien een potje schaak waar de vonken vanaf vliegen.

Langzaam beweeg ik de muis en stuur de zwarte en witte stukken het scherm over. Een machtige tovenaar uit onze familie ontdekte tientallen jaren geleden Lord Loss' passie voor schaken. Hij besloot een duel in het leven te roepen waarbij twee familieleden van een besmet kind de demonenmeester konden uitdagen voor een schaakmatch. Als Lord Loss werd verslagen zou hij het kind zijn of haar normale gedaante teruggeven en de vloek voor altijd wegnemen. Maar als hij won...

Mijn ouders verloren. Volgens Lord Loss' regels werden ze beiden gedood, en Gret ook. Ik zou ook zijn gestorven, maar ik slaagde erin verborgen magische krachten op te roepen en te ontsnappen.

Maanden later, onder de hoede van Derwisj, kreeg ik te horen wat er in werkelijkheid was gebeurd, en dat Bill-E mijn geheime halfbroer was. Ik hoorde ook dat Bill-E ten prooi was gevallen aan de lykantropievloek.

Derwisj en ik hadden oog in oog gestaan met Lord Loss. Het was het moedigste, het angstaanjagendste wat ik ooit heb gedaan of hoop te doen. Het lukte me om Lord Loss te slim af te zijn en zijn liefde voor ellende tegen hem te keren. Hij nam het niet licht op. Hij zwoer zich op ons drieën te wreken.

Enkele maanden later, op de filmset van Slagtenstein, lukte het hem bijna die belofte in te lossen. Een horrormaestro maakte een film over demonen. Derwisj, Bill-E en ik werden in de val gelokt. Lord Loss liet een leger demonen los op de cast en de filmploeg. Honderden mensen stierven een afschuwelijke dood, maar wij wisten te ontsnappen.

Bill-E was flink van slag door die confrontatie met demonen. Dankzij Derwisj' hulp herstelde hij en is hij weer de oude, min of meer. Sindsdien zit er iets onrustigs in zijn blik; hij houdt altijd de schaduwen in de gaten op zoek naar tekenen die de aanwezigheid van demonen verraden.

En ik? Ben ik er afgezien van de nachtmerries en slapeloze nachten overheen? Heb ik een goed leven, loopt het allemaal een beetje, lukt het me mijn draai in de wereld te vinden? Tja, ik doe mijn best. Er hangen echter nog een paar roetwolkjes boven mijn hoofd en die dreigen alles te bederven.

Om te beginnen zal het nog een paar jaar duren voordat ik zeker weet of ik al dan niet het lykantropie-gen draag. Er is een grote kans dat ik in een weerwolf verander.

Als ik begin te veranderen, ben ik verdoemd. Lord Loss zal niet ingrijpen. Hij haat ons onmenselijk hartstochtelijk. In geen van beide universums is ook maar iets wat hem kan verleiden om mij de kans op verlossing te bieden. Derwisj heeft het niet met zoveel woorden gezegd, maar we weten beiden hoe het ervoor staat: als ik onder de vloek van de maan val en mijn lichaam verandert, is de enige remedie een bijl tegen mijn hals.

Wat het tweede wolkje betreft... In zekere zin is dat nog groter dan het eerste.

Ik sta weer in de badkamer en gooi nog meer water over mijn gezicht. Druipend kijk ik toe hoe het water wegloopt. Onder invloed van de zwaartekracht cirkelt het tegen de wijzers van de klok de af-voer in. Ik concentreer me en staar ingespannen naar het water. Ik voel een innerlijke kracht opkomen. Het water sputtert en stroomt vervolgens weer rustig omlaag – met de wijzers van de klok mee!

Ik blijf een paar seconden staan kijken, schud mijn hoofd en verbreek de bezwering. Het water stroomt weer normaal. Terneergeslagen en bang ga ik terug naar bed om de rest van de nacht wakker en ongelukkig onder de dekens te liggen.

Tovenaars zijn zeldzaam. Er worden er maar een of twee per eeuw geboren, mensen met de magische vermogens van een demon, die de wereld met een snelle handbeweging kunnen veranderen.

Er zijn ook magiërs. Zij kunnen magie bedrijven als er demonische energie in de lucht hangt, maar onder gewone omstandigheden zijn ze tot niet meer in staat dan kleine bezwerinkjes. De meeste magiërs maken deel uit van een groep die bekend staat als de Discipelen: ze vechten tegen demonen en proberen te voorkomen dat ze de oversteek maken naar onze wereld.

Voor zover we weten ben ik geen tovenaar en ook geen magiër. Ik beschik over meer magische vermogens dan de meeste mensen en heb daar gebruik van gemaakt toen ik oog in oog kwam te staan met Lord Loss en zijn kornuiten. Maar ik maak niet echt deel uit van de wereld der magie.

Dat vind ik wel best. Ik hoef geen demonbestrijdende Discipel te worden. Ik wil een gewoon leven. De gedachte Lord Loss of zijn soortgenoten ooit nog eens tegen het lijf te lopen maakt me doodsbenauwd.

En als iemand die niet van nature magisch is, heb ik geen reden om me te mengen in nog meer demonische veldslagen. Ik mag met de rest van de mensheid langs de kant blijven zitten, onkundig van de oorlogen die worden uitgevochten tussen de krachten van goed en kwaad, vrij van de vloek van de magie en de ermee gepaard gaande verantwoordelijkheden.

Tenminste, dat is wat Derwisj gelooft. Dat is hoe ik zou wíllen dat het was.

Maar bij Slagtenstein is er iets veranderd. Ik heb een kracht in mezelf ontdekt en hoewel ik hem voor Derwisj verborgen heb gehouden, is hij niet verdwenen. De laatste maanden heb ik mezelf dingen zien doen die ik niet zou moeten kunnen. De magie is zich een weg naar buiten aan het banen en staat te popelen om zich te bevrijden. Door deze magie kan ik de draairichting van het water veranderen, zware gewichten optillen, voorwerpen verplaatsen zonder ze aan te raken. Ik ben al diverse keren zwevend boven mijn bed wakker geworden.

Ik heb de magie met man en macht bestreden. En in de meeste gevallen met succes. Door me te concentreren en me te verzetten tegen elke stap die ze zet, hoop ik de magie mijn systeem uit te werken en weer normaal te worden.

Ik zou het er met Derwisj over willen hebben en hem om advies willen vragen. Maar ik ben bang. Magie is zijn leven. Hij is bovenal een Discipel, toegewijd aan de opdracht om de wereld te beschermen tegen demonen. Derwisj houdt van me, maar als hij op de hoogte was van mijn kracht, dan weet ik ze-

ker dat hij me onder druk zou zetten om meer bezweringen te leren. Hij zou zeggen dat de wereld me
nodig had. Hij zou zaniken, preken en smeken. Ik
zou me verzetten, maar mijn oom kan uitzonderlijk
overtuigend zijn als hij zijn best doet. Ik weet zeker
dat hij me langzaam maar zeker zou terugdirigeren
naar de wereld van de magie... de wereld van de demonen.

Daar sta ik dan. Ik wil een gewone jongen zijn
met niets anders aan zijn hoofd dan de puberteit, ac-
ne, scoren bij de meisjes, indruk maken op z'n vrienden en heelhuids van school zien te komen. Maar ik
word gedwongen het grootste deel van mijn dagen
te zitten tobben of ik een weerwolf ga worden of
een tovenaarswhizzkid die het moet opnemen tegen
kwaadaardige, harteloze demonen.

Natuurlijk heb ik nachtmerries...

Voorbereidingen

Derwisj moet een paar dagen weg. 'Meera vertrekt naar graziger weiden, ze blijft dit keer misschien maanden weg, ze wil in stijl afscheid nemen.'

'In stijl?' meesmuil ik. Meera Flame is een van Derwisj' beste vrienden. Ze is in ieder geval het sexyst van allemaal. Ze is zo'n spetterende stoot dat de vonken eraf spatten. 'Gaan Meera en jij het eindelijk doen?'

'Doe niet zo belachelijk,' snuift Derwisj. 'We zijn gewoon vrienden. Dat weet je best.'

'Dat is wat jij altijd tegen me zegt...' reageer ik plagend.

'En het is waar,' zegt Derwisj op zijn teentjes getrapt. 'Ik heb nog nooit avances bij haar gemaakt en ik ben niet van plan dat nu te gaan doen.'

'Waarom niet?' vraag ik oprecht geïnteresseerd.

Derwisj zet een vroom gezicht. 'Grubbs,' zegt hij zacht. 'Weet je nog dat ik je vertelde dat jouw vader ook de vader van Bill-E was?'

'Ja...' Op mijn hoede.

'Wat ik je niet heb verteld is dat je moeder... nou, ja, de vrouw die je als je moeder beschouwde, je vader pas na jouw geboorte heeft ontmoet. Meera...' Hij onderbreekt zichzelf.

Ik staar hem aan, met kloppend hart en trillende lippen. Mijn woorden staan op het punt te exploderen.

Dan zie ik zijn grijns.

'Jij, vuile jakhals!' brul ik en ik mep hem om zijn kalende hoofd. 'Dat was niet grappig.'

'O, jawel,' zegt hij hikkend van de lach en hij veegt de tranen van zijn wangen.

Meestal krijg ik een kick van Derwisj' verwrongen gevoel voor humor. Maar soms werkt het me op m'n zenuwen.

'Ga vooral zo door,' grom ik. 'Misschien vertel ik Misery Mauch wel over jouw zieke grappen. Ik betwijfel of hij er de lol van kan inzien. Het zou me niet verbazen als hij je de voogdij ontnam en me bij mensen onderbracht die enigszins normaal zijn.'

'Was het maar waar,' verzucht Derwisj. Dan kijkt hij me met toegeknepen ogen aan. 'Ik wil het niet zwaarder maken dan dat het is, maar ik moet je iets zeggen en ik wil even je aandacht.'

'Wat nu weer?' vraag ik chagrijnig en ik lach spottend. Opa en oma Spleen zijn mijn grootouders? Misery Mauch is mijn verloren gewaande broer?'

'Dit huis is al een keer verwoest,' zegt Derwisj. 'Ik wil niet dat het nog een keer wordt gesloopt. Hou je gestoorde vriendjes zo veel mogelijk in toom. Een zekere mate van slijtage is onvermijdelijk, dat kan ik accepteren, maar als je ze de vrije teugel laat, raken ze door het dolle heen. Zorg dat ze weten wat de regels zijn en je houdt de schade beperkt. En laat in hemelsnaam niemand in mijn studeerkamer. Onthoud dat die door bezweringen wordt bewaakt, dus als iemand daar ongevraagd naar binnen gaat...'

'Wat sta je te ijlen?' bijt ik hem toe. Ik haat het als hij een heel verhaal afsteekt zonder me te vertellen waar het over gaat.

Derwisj kijkt me fronsend aan. 'Een beetje traag van begrip vandaag?'

'Waar héb je het over?' roep ik ongeduldig.

'Ik ga weg.' Hij laat zijn knokkels op mijn hoofd neerkomen. 'Je hebt het huis alleen.' Hij laat ze nog een keer neerkomen. 'Het is weekend.'

Hij wil zijn knokkels voor de derde keer laten neerkomen, maar ik grijp zijn hand. Eindelijk dringt het tot me door en er verschijnt een glimlach op mijn gezicht. Op precies hetzelfde moment roepen we uit, ik opgewonden, Derwisj spottend: 'Feeeeesjuuuh!'

'Strippoker,' zegt Frank ernstig. 'Dat is een must.'

'Hé,' blaft Loch. 'Mijn zus is er ook bij.'

'Dan wachten we totdat ze met Grubbs is weggeslopen en dan... *baboemba*!'

Iedereen lacht, zelfs Loch.

'Heb je het de meisjes al verteld?' vraagt Charlie.

'Nee. Ik wilde het eerst met jullie bespreken, een beetje een idee krijgen, zoals hoeveel mensen we uitnodigen, of ik een thema moet verzinnen, of...'

'Thema?' snuift Loch. 'Dit is geen opgedofte verkleedpartij, idioot!'

'Ik zou niet te veel mensen uitnodigen,' zegt Leon met een bezorgd gezicht. 'Die fout heb ik ooit gemaakt. Ongeveer de hele school was langsgekomen toen mijn ouders aan het skiën waren. De volgende dag heb ik als een gek lopen opruimen, maar er was geen beginnen aan.'

Frank knikt instemmend. 'Dit is je eerste feest. Je moet het niet verpesten door te veel hooi op je vork te nemen.'

'Vooral niet omdat er een schat aan mogelijkheden ligt voor de toekomst,' stemt Loch in. 'Dat huis kan de komende jaren heel waardevol zijn. Massa's kamers. Massa's slaapkamers – en een oom die weet hoe de zaakjes ervoor staan... het is een goudmijn. Maar we moeten het voorzichtig aanpakken. Als we er nu een puinhoop van maken, laat Derwisj je misschien nooit meer alleen.'

Het gesprek gaat verder. Iedereen – Loch, Frank, Charlie, Leon en Robbie – komt met zijn eigen ideeën. De muziek, de drank, het eten, de gastenlijst, alles wordt uitvoerig besproken. Maar de gastenlijst keert steeds weer terug, dat is het onderwerp waar de meeste verdeeldheid over ontstaat.

'Twee meisjes per jongen,' eist Frank.

'Nah,' bromt Robbie. 'Gelijke aantallen, want anders gaan ze tegen ons samenspannen.'

'Wat kan jou dat schelen?' vraagt Leon uitdagend. 'Jij hebt alleen maar oog voor Mary.'

Robbie knipoogt. 'Op een feestje kan er van alles gebeuren.'

Plotseling schreeuwt Charlie: 'Spekkies. Je moet spekkies neerleggen. Overal, borden vol.'

'Je bent zelf een spekkie!' buldert Loch en we rollen allemaal over de grond van het lachen.

'Waarover zijn jullie je een breuk aan het lachen?' vraagt Reni, die ongemerkt op het toneel is verschenen, met Shannon aan haar zijde.

'We –' begint Charlie.

Loch geeft hem een duw en knikt scherp in mijn richting. Mijn feest, mijn nieuws.

'Derwisj is dit weekend weg,' zeg ik tegen Reni en ik wilde dat mijn hart niet zo luid bonkte, ik weet zeker dat ze het kan horen. 'Ik geef een feest.'

'Gaaf.' Reni glimlacht. 'Ik hoop dat we zijn uitgenodigd?'

'Natuurlijk,' zeg ik veel te snel. En vervolgens, in een poging cool over te komen: 'Maar tegen niemand zeggen. Ik wil het exclusief houden. Gewoon een select aantal van mijn fijnzinnigere vrienden.'

'Leuk,' zegt Reni en ze loopt weg, giechelend met Shannon.

'Mijn fijnzinnigere vrienden,' bauwt Leon me na terwijl de anderen me tussen mijn ribben porren en joelen. 'Je zit soms echt uit je nek te lullen, Grady.'

Het nieuws over het feest verspreidt zich snel. Ik ben nog nooit zo populair geweest. Voor en na de lessen word ik omsingeld, bestookt met vragen om meer informatie, een uitnodiging. Ik denk dat de plek waar het feest wordt gegeven minstens zo aantrekkelijk is als het feest zelf. Iedereen in Vale kent het spookachtige oude huis waar ik woon, maar de meesten zijn nog nooit binnen geweest.

Rond lunchtijd is er een gestage stroom van hunkerende leerlingen ontstaan, allemaal uit op het gedroomde toegangsbewijs. Ik voel me als een koning die petities aanhoort, met aan mijn zijde mijn koninklijke raadgevers (Loch en co.). Op Lochs advies gedraag ik me ijzig, zeg ik dat het aantal beperkt is, dat ik slechts een select gezelschap kan uitnodigen. Ik zeg tegen niemand keihard nee en beloof alle verzoeken in overweging te nemen.

Ik ben dus een aansteller. Sleep me maar voor het gerecht.

Vlak voordat de bel gaat en de lessen beginnen, komt mijn laatste petitionaris naar me toe. Bill-E. Hij glimlacht onhandig, nog onhandiger dan anders. 'Hoi Grubbs.'

'Hoi.'

'Alles kits, Spleenio?' zegt Loch en hij steekt zijn hand uit.

Ik kreun als ik zie dat Bill-E er weer intrapt, aanstalten maakt de hand te schudden en vernederd wordt wanneer Loch zijn hand wegtrekt.

'Eikel!'

Ik wacht niet totdat Bill-E of Loch nog iets zegt. 'Heb je gehoord dat ik een feest geef?' vraag ik snel.

'Ja,' zegt Bill-E. 'Ik weet dat het de bedoeling was dat ik dit weekend zou langskomen, maar –'

'Je gaat niet afhaken, hé,' val ik hem in de rede. 'Kom op, Bill-E, dit is mijn eerste feest. Ik heb je nodig als morele ondersteuning.'

Een rossige gloed van geluk verspreidt zich over het gezicht van de mollige jongen. 'Je wilt dat ik kom?' vraagt hij zacht, half verwachtend dat er een wrede grap volgt.

'Natuurlijk,' zeg ik vastberaden. 'Als jij niet komt gaat het feest zelfs niet door.'

'Wacht eens even –' begint Loch, verbijsterd.

'Ik meen het.' Ik snoer hem de mond, mijn ogen op Bill-E gericht, in een poging tenminste iets van wat er tussen ons fout is gegaan goed te maken.

'Eh... ik bedoel... ik denk... oké.' Bill-E grijnst. 'Tuurlijk. Waarom niet?'

'Uitstekend.' Ik hef waarschuwend een vinger. 'Maar hou je mond over het feest tegen opa en oma Spleen, want anders laten ze je nooit gaan.'

'Komt voor de bakker, Sherlock!' Bill-E lacht en gaat ervandoor, gelukkiger dan ik hem in tijden heb gezien.

Derwisj staat op het punt weg te gaan. Hij heeft zijn leren pak aan en haalt de riempjes uit zijn helm tevoorschijn. Zijn motor staat bij de voordeur, gereed voor vertrek. 'Is het feest vanavond of morgen?' vraagt hij.

'Morgen. Vanavond is voor veel mensen niet handig. Plus dat ik dan 's ochtends boodschappen kan doen in Vale.'

'Je weet dat ik zondagochtend vroeg terugkom,' helpt hij me herinneren.

'Dat weet ik.'

'Als ik bij thuiskomst overal plassen kots aantref en bergen afval...'

'Dat zal niet gebeuren,' verzeker ik hem. 'Er komen niet zo veel mensen en er blijven er een paar slapen om 's ochtends te helpen met opruimen. Ik weet alleen niet of de was al klaar is wanneer je terugkomt.'

'Dat maakt niet uit,' zegt Derwisj. Hij trekt een wenkbrauw op. 'Degenen die blijven slapen zijn allemaal jongens, neem ik aan?'

'Natuurlijk.'

'Laat ik het niet merken. Want anders...'

'Wees maar niet bang.'

'Goed.'

Derwisj heeft de zware voordeur al opengedaan. Hij loopt naar buiten en ademt de frisse voorjaarslucht in. 'Het zou koud worden, dit weekend,' zegt hij. 'Laat de ramen niet open staan, anders wordt het ijskoud in huis.'

'Ik heb alles onder controle,' laat ik hem weten.

'Ik betwijfel het.' Hij klimt op z'n motor.

'Doe Meera de groeten van me.'

'Zal ik doen.'

'Geef haar ook maar een zoen van mij.'

'Grapjas.'

En dan, zonder verder afscheid te nemen, scheurt hij weg. Op de oprit heeft hij al de maximumsnelheid bereikt – en dan is hij nog maar aan het warmlopen. Als iedereen zo reed als mijn maniakale oom, zouden de wegen rood zijn van het bloed.

Het was niet voor het eerst dat Derwisj me alleen thuisliet, maar het was wel de eerste keer dat hij me vrij spel gaf. Tot nog toe was de afspraak geweest dat ik gewoon het fort bewaakte. Geen feestjes. Deze keer had hij me min of meer laten weten dat het huis de komende pakweg veertig uur van mij was en dat ik ermee kon doen wat ik wilde.

Het voelt vreemd. Ik merk dat ik sta te denken aan

alles wat er fout kan gaan – ruiten die barsten, vazen die op de grond te pletter vallen, iemand die in de studeerkamer van Derwisj verzeild raakt en in een kikker verandert. Ik zou bijna willen dat ik het kon afzeggen. De afgelopen maanden ben ik met Loch naar een paar wilde feesten geweest en ik heb me geen moment zorgen gemaakt over wat we aan het doen waren, de troep die we maakten, wat er zou gebeuren met de bewoners wanneer hun ouders thuiskwamen. Maar nu ik zelf in zijn schoenen sta, realiseer ik me wat een riskante onderneming het is. Misschien moet ik me maar ziekmelden en het hele gebeuren afblazen.

De telefoon gaat. Loch. Alsof hij mijn aarzeling heeft geroken en er een stokje voor wil steken door me weer in feeststemming te krijgen.

'Is Derwisj ervandoor?' vraagt hij.

'Ja.'

'Mooi. Ik wilde het er op school niet over hebben, te veel oren, maar hoe zit het met de drank? Wel of niet?'

'Dat is misschien een beetje te veel van het goede,' mompel ik. 'Zonder dat iedereen dronken is wordt het waarschijnlijk al wild genoeg.'

'Het wordt vast een stuk wilder als iedereen dronken is,' zegt Loch lachend, 'maar ook een stuk leuker! Ik dacht aan al die flessen wijn in de kelder –'

'Als je het maar uit je hoofd laat,' snauw ik. 'Dat is dure wijn. Héél dure wijn. Er komt niemand aan die wijn. Dat is een gulden regel. Als iemand ook maar één fles breekt, trap ik jullie er allemaal uit.'

'Spelbreker,' moppert Loch. 'En bier dan? Ik zou een van mijn oudere neven om een kratje of twee kunnen vragen.'

'Liever niet.'

'Je bent toch niet aan het terugkrabbelen?' vraagt hij wantrouwig.

'Nou...'

'Oké,' onderbreekt Loch me snel. 'Vergeet de drank maar. Als iemand iets meeneemt, prima. Zo niet, dan redden we het nuchter ook wel. Deal?'

'Deal,' zeg ik ongelukkig. 'Denk ik.'

'Mooi. Ik zie je morgenochtend. O ja, ik neem Reni mee, om me te helpen dragen. Is dat oké?'

'Natuurlijk,' zeg ik en ik voel me een stuk beter, al mijn bedenkingen als sneeuw voor de zon verdwenen. 'Dat is... prima. Oké. Weet ik veel.'

Loch laat een lachje horen en hangt dan op, zodat ik me weer op de planning van het feest kan storten.

Loch, Reni en ik lopen drie keer naar het dorp heen en weer. We hebben meer handen nodig en op onze laatste tocht lopen Frank en Leon met ons mee. Het is geweldig om zo veel tijd met Reni door te brengen, om naast haar Carcery Vale in en uit te lopen en te praten over het feest, muziek, politiek... waar ze het ook maar over wil hebben.

Loch biedt aan om mee te betalen aan de frisdrank en het eten, maar ik zeg dat het niet hoeft. Derwisj is rijk – er zwerft ergens een familiefortuin rond dat ooit van Bill-E en mij zal zijn – en hij is nooit krenterig geweest. Hij heeft een stapeltje bankbiljetten voor me achtergelaten in zijn studeerkamer met de mededeling dat ik er maar goed gebruik van moet maken.

Reni neemt een groot deel van de organisatie voor haar rekening. Ik ben gisteren een paar uur bezig geweest met een lijst met alles wat we nodig hadden en was zeer ingenomen met mezelf. Ze wierp vanochtend één blik op mijn lijst, lachte en verscheurde hem. 'Komt Jezus ook?' vroeg ze.

'Eh... nee,' antwoordde ik verbijsterd.

'Vergeet dan dat wonder met het brood en de vissen maar. Met wat jij op je lijstje had, zouden we het niet eens tot negen uur hebben uitgehouden. Vooruit, geef me een nieuw vel papier en een pen... Hier is een ervaren vrouwenhand nodig.'

Ik geef het niet graag toe, maar ze had gelijk. Terwijl we de inkopen van Carcery Vale naar huis slepen, lijkt het nog veel te veel – hier kunnen we alle hongerlijders mee voeden. Maar tegen de tijd dat we het hebben verdeeld over borden en kommetjes en in de drie belangrijkste feestruimtes hebben neergezet – de twee grote woonkamers en de keuken – lijkt het niet meer zo veel.

'Misschien moeten we nog een keer naar Carcery Vale,' oppert Frank, terwijl hij een zak chips openmaakt.

'Misschien moet jij ophouden met snoepen voordat iedereen er is,' kaatst Reni terug en ze grist de zak uit zijn handen. 'Nee,' zegt ze en ze laat een professionele blik door de kamer dwalen. 'Dit moet genoeg zijn. Nog meer zou verspilling zijn.' Ze kijkt op haar horloge. 'Ik ga naar huis om me klaar te maken. En jullie, jongens...' Ze trekt haar neus op en kijkt vies. 'Ooit van douchen gehoord?'

Ze vertrekt. Ik draai me om naar Loch, Frank en Leon. We kijken elkaar aan. Dan tillen we alle vier een arm op en snuiven.

Feestbeest

Het feest begint pas om zeven uur, maar de eerste gasten druppelen al na zessen binnen. Ik ben zenuwachtig en prikkelbaar, maak me zorgen over waar de jassen heen moeten, of er genoeg te eten en te drinken is, of iemand iets verbodens heeft binnengesmokkeld. Maar naarmate er meer mensen komen en het gelach en de stemmen luider klinken, ontspan ik me. Ik zie dat ze het naar hun zin hebben.

Niet iedereen die komt stond op de gastenlijst, maar daar is niets aan te doen. Als ik ze wegstuurde, zou ik de sfeer verpesten. Op elk feest heb je wel een paar mensen die komen aanwaaien.

Loch en Frank helpen (Leon kan pas om negen uur komen) door de nieuwkomers bij de deur te begroeten, terwijl ik de rest een rondleiding door het huis geef. Het is cool om de gids te zijn van zo veel gefascineerde gasten. Ik geniet ervan om ze door de gangen te leiden, de wapens op de muren te wijzen, de bloedige geschiedenis van het huis te vertellen, de portrettengalerij en de gezichten van de doden te laten zien.

'Hoe komt het dat er zo veel jonge mensen bij zijn?' vraagt Mary terwijl ze de schilderijen en de foto's bestudeert.

'We zijn nogal avontuurlijk aangelegd,' lieg ik. 'We blijven niet rustig zitten wachten totdat we oud zijn. We omhelzen het leven en het gevaar, en als gevolg daarvan sterven er in onze familie veel op jonge leeftijd.'

'Het zijn in ieder geval doden met een mooi lichaam,' zegt Reni en ze giechelt lief als ze me ziet blozen.

Bill-E arriveert om kwart voor acht. Ik kom net de trap af wanneer Loch hem binnenlaat.

'Hé Bill-E, goed om je te zien. Ik ben blij dat je kon komen,' roept Loch enthousiast uit en hij steekt zijn hand uit, die Bill-E zoals te verwachten – en ik moet toegeven ook tot mijn vermaak – probeert te schudden. 'Eikel!'

Maar zelfs Lochs pesterijen kunnen de sfeer niet bederven. Bill-E schiet langs hem heen, niet meer dan een beetje in zijn kuif gepikt, en stort zich op de dichtstbijzijnde voorraad eten. Tien minuten stevig doorkauwen later duikt hij weer naast me op en marcheert achter me aan terwijl ik de laatste groep een rondleiding geef. Halverwege heeft hij het overgenomen – hij weet veel meer dan ik over het huis en de legenden, en hij is ook een betere verteller. Ik vind het niet erg. Het is goed om hem uit zijn schulp te zien kruipen. Ik wilde dat hij altijd zo was.

Naarmate de avond vordert ga ik me vreemder voelen. Misselijk, duizelig, en de kamers en de mensen om me heen beginnen er raar onscherp uit te zien. Mijn adem suist in mijn oren en mijn maag en borst steken als ik me snel beweeg. Het is niet de alcohol – niemand heeft drank meegenomen – maar misschien heeft iemand een lepeltje van een of ander naar goedje of een pilletje in de drankjes gedaan.

'Gaat het wel goed met je?' vraagt Reni, die me naar de keuken ziet strompelen.

'Een beetje... raar...' zeg ik naar adem happend, en ik moet op de grond gaan zitten, nog meters van de keukendeur verwijderd.

Reni hurkt naast me neer. 'Je ziet er niet goed uit,' zegt ze en ze legt haar hand op mijn voorhoofd. 'Je hebt toch niet gedronken?' vraagt ze.

Ik schud mijn hoofd.

'Drugs?' Haar stem is hard.

'Niet... dat ik... weet,' breng ik piepend uit. 'Ik ging... naar de keuken... om te kijken. Denk dat... iemand met... de drankjes heeft geknoeid.'

'Dan zijn ze nog niet jarig,' gromt Reni en ze schiet overeind. 'Als dat zo is laat ik ze oppakken! Wacht hier.' Ze stormt weg om op onderzoek te gaan. Vijf of tien minuten later – ik heb de tijd niet meer zo in de gaten, mijn hoofd bonkt te hard – komt ze terug, een stuk kalmer.

'Alle anderen zijn in orde. Ik denk niet dat er geknoeid is met de drankjes.'

'Misschien ben ik gewoon ziek,' mompel ik.

'Daar ziet het wel naar uit,' zegt ze. Ze pakt mijn arm en trekt me overeind. 'Laten we naar buiten gaan. De frisse lucht zal je goed doen.'

Ze leidt me door de keuken naar de achterdeur en naar buiten, waar ze me tegen de muur laat leunen. Ze gaat naast me op wacht staan terwijl ik diep ademhaal en mijn blik weer probeer te focussen. Na een paar minuten is het zware gevoel in mijn hoofd verdwenen en is ook mijn maag wat tot rust gekomen.

'Beter?' vraagt Reni. Ze tilt mijn kin op en kijkt me in de ogen.

'Zo goed als nieuw,' zeg ik glimlachend.

Reni buigt zich naar me over, met een ernstige blik in haar ogen. Wordt dit onze eerste zoen? Ik hoop dat ik het niet verpruts. Hoe doen ze het in films? Tong of alleen lippen? Maar op het laatste moment verdwijnt de ernst uit haar ogen en ze zoent me snel op mijn neus in plaats van op mijn mond.

'Kom op, Romeo,' zegt ze lachend en ze pakt me bij mijn hand. 'Het is hier te koud voor kattenkwaad.'

'Binnen dan?' mompel ik. Ik lach inwendig omdat ik de zin er zonder te stotteren uit heb gekregen.

'Misschien later.' Reni grijnst en loopt de keuken weer in.

Opgewekt volg ik haar. Ik voel me al veel beter dan een paar minuten geleden. Maar wanneer we bij de keukendeur komen gaat er pas een echte steek van paniek door me heen en verstijfd blijf ik staan.

Het licht in de keuken is uit. Ik zie de hemel weerspiegeld in het donkere glas van de keukendeur. Ik laat Reni's hand los, draai me langzaam om, kijk omhoog naar de wolkenloze hemel en laat mijn blik op de maan rusten – die groot en rond is, en gevaarlijk bijna vol.

Ik heb mezelf opgesloten in de studeerkamer van

Derwisj. Ik adem snel, hortend. Ik tril hevig. Ik herinner me de avond dat Bill-E veranderde, het beest dat hij werd. Derwisj moest hem in een kooi opsluiten om de mensen te beschermen.

Ben ik een weerwolf aan het worden?

Ik weet het niet. De misselijkheid en de duizeligheid zijn er nog steeds, maar misschien komt dat alleen maar door de paniek. Misschien is het de angst die ervoor zorgt dat ik zo wit zie als een spook, dat ik elk moment kan overgeven, dat ik sta te shaken als een sambabal.

Ik concentreer me op mijn handen en probeer ze tot rust te dwingen. Na een tijdje gehoorzamen ze me. Dan dwing ik mezelf normaal, gelijkmatig te ademen. Zodra het voelt alsof ik mezelf weer onder controle heb, bestudeer ik mijn gezicht in een kleine handspiegel, op zoek naar tekenen rond mijn ogen en lippen – daar zijn de signalen het eerst te zien.

Niets. De bekende lijnen en rimpels. Ogen iets wijder dan normaal – wat begrijpelijk is – maar wel de mijne. Niet troebel of dierlijk.

Ik wilde dat Derwisj hier was. Ik overweeg zijn mobiel te bellen. Zo ver weg is hij niet. Met zijn snelheid kan hij er in een paar uur zijn. Ik diep mijn telefoontje op uit mijn zak, zoek zijn nummer op, breng mijn duim naar het knopje… en stop.

'Ik ben niet aan het veranderen,' grom ik kwaad tegen mezelf omdat ik zo bang ben. 'Het is na tienen.' Ik kijk op m'n horloge. 'Shit, bijna elf uur. De maan is op het hoogtepunt van haar krachten. Als ik werkelijk ging veranderen, zou dat nu al gebeurd zijn.'

Maar misschien is dit het begin, fluistert een stem in me, een stem die ik voor het laatst maanden geleden in Slagtenstein heb gehoord – de stem van magie. *Niemand verandert van de ene op de andere dag. Het gebeurt langzaam maar zeker, in de loop van een paar maanden. Dit kan het begin van het eind zijn.*

'Kan zijn,' beaam ik. Ik weiger in paniek te raken. 'Maar vannacht verander ik niet in een wilde. Niemand heeft iets van me te vrezen. En dus heeft het geen zin om te vragen of Derwisj naar huis komt.'

Maar als het de verandering is... Als je dagen als mens zijn geteld...

'Is er des te meer reden om flink te feesten terwijl het nog kan.' Ik lach gemeen en dwing mezelf vervolgens om naar beneden te gaan en me te gedragen en te lachen zoals iedereen – normaal.

Middernacht komt en gaat. En zo ook de meeste gasten, die lopend of op de fiets naar huis gaan, op de paar na die opgehaald worden door hun ouders. Om half een zijn alleen degenen die blijven slapen nog over: Loch, Frank, Leon, Charlie, Robbie, Bill-E, Reni, Mary en een paar anderen die om een bed hebben gesmeekt. (Oké, ik heb tegen Derwisj gelogen dat er alleen jongens blijven slapen, maar wat niet weet, dat niet deert, toch?)

'Zal ik jullie laten zien waar je slaapt?' vraag ik. Ik voel me nog steeds ziek en van mij mag het feest afgelopen zijn.

'De pot op met je slaap,' zegt Frank lachend. 'Tijd voor flesje draaien!'

53

Er wordt wat goedmoedig gekreund, maar niemand protesteert, dus vijf minuten later zitten we met z'n allen in de grootste feestruimte zenuwachtig in een kring rond een lege fles. Alom gegiechel, zenuwachtige blikken, tongen langs lippen. Ik tel snel de koppen – negen jongens, vier meisjes.

'Hoe gaan we het doen?' vraag ik aan Frank.

'We draaien om de beurt de fles rond,' antwoordt hij, terwijl hij opgewonden in zijn handen wrijft. 'En als hij naar een lid van de andere sekse wijst – hoppa!'

'Maar wij zijn met meer dan zij,' werp ik tegen.

'Nou en?' Hij fronst.

'Nou ja... ik bedoel... op z'n minst twee van hen moeten meer dan één jongen zoenen.' Ik maak me zorgen dat Reni iemand anders gaat zoenen dan mij.

Frank lacht. 'Zo werkt het, imbeciel. Genoeg actie voor iedereen.'

'Alleen maar gewone zoenen,' komt Mary tussenbeide. 'Geen gegraai of getong, tenzij beide partijen dat willen. Begrepen?'

'Natuurlijk, natuurlijk!' zegt Frank snel, terwijl hij haar een wellustige blik toewerpt.

'We menen het,' valt Reni haar bij. 'Als een van jullie zich niet aan de regels houdt, is het voorbij, is het spel uit, dan kunnen jullie er allemaal naar fluiten.'

'Oké,' zegt Frank zuchtend en hij slaat zijn ogen ten hemel. 'De boodschap is duidelijk. Vooruit, wie begint?'

'Het is Grubbs z'n feestje,' zegt Loch.

'Oké,' zeg ik hoestend en mijn voeten worden ijskoud. 'Ik denk dat Bill-E als eerste mag.'

'Die motie wil ik graag ondersteunen,' zegt Bill-E lachend. Hij ziet er meer op zijn gemak uit dan ik hem in lange tijd heb gezien. Hij grijpt de fles beet en geeft hem een waanzinnige slinger. En de fles draait... en draait... en draait... alsof hij nooit meer stopt. Maar uiteindelijk stopt hij toch – en wijst naar Reni.

Bill-E grijnst. 'Sorry, amigo, maar de fles beslist.'

Ik voel woede opkomen terwijl Bill-E en Reni naar het midden van de kring lopen, onder begeleiding van gefluit en grove opmerkingen. De gal die al de hele avond naar buiten dreigt te komen, baant zich een weg naar mijn keel. Maar dan raakt Reni met haar lippen even de zijne en gaan ze beiden weer zitten. Ik ontspan me, slik het braaksel weg en weet een flauwe grijns op mijn gezicht te toveren.

Het spel gaat verder. Bulderend gelach wanneer een van de jongens aan de beurt is en de fles stil komt te liggen met de hals naar een andere jongen. Wulps gegiechel wanneer dat bij de meisjes gebeurt. De meeste zoenen zijn net als die eerste, niet meer dan een vluchtige aanraking. Maar in sommige gevallen is het meer, daar waar de twee zich tot elkaar voelen aangetrokken: Robbie en Mary, Leon en Nina Duffy.

Ik heb twee keer met Mary gezoend, drie keer met Nina ('Dit wordt serieus,' zegt ze grappend) en dan is Reni eindelijk aan de beurt en blijft de fles in mijn richting wijzend stil liggen.

'Woe-hoe!' joelt Frank.

'Scoren!' schreeuwt Charlie.

'Kalm aan, vriend,' gromt Loch en hij grijnst gespannen.

Reni en ik staan op en lopen naar elkaar toe. Reni schuift de fles met haar linkervoet uit de weg. We glimlachen onzeker. En dan zoenen we.

Haar lippen voelen droger aan dan ik had gedacht, maar wel prettig. Ik laat mijn handen achter haar rug glijden en strengel mijn vingers ineen, voorzichtig, want ik wil haar botten niet breken met mijn omhelzing. De zoen duurt voort. Haar lippen bewegen en de mijne volgen – dit is makkelijker dan ik had gedacht. Ik snap niet waar ik me zo zenuwachtig over heb gemaakt. Ik zou hier heel snel aan kunnen wennen!

Een hoop gejoel en gefluit. Ik sluit de geluiden buiten, mijn ogen gesloten, barstend van geluk. Er groeit een warm vuur in me, dat de misselijkheid verdrijft. Het verspreidt zich razendsnel door mijn hele lichaam en komt als stoom door mijn poriën naar buiten zetten. Ik verlies mezelf in de hete, hypnotische zoen, me niet meer bewust van wat er om me heen gebeurt.

Dan wordt het moment verstoord door verbijsterde kreten.

'Wat heeft dát…?'

'Krijg nou de…!'

'Mijn hemel!'

Mijn rechteroog gaat een woedende fractie open – waar doet iedereen zo hysterisch over? En dan zie ik het. De fles. Hij draait weer rond, maar niet over de vloer – hij hangt ongeveer een meter boven de grond in de lucht en zweeft langzaam steeds verder omhoog.

In een vloeiende beweging komt de fles hoger en hoger. Iedereen (op een enkele uitzondering na) is opgesprongen en gealarmeerd teruggedeinsd. Reni heeft door dat er iets aan de hand is. Ze breekt de zoen af, doet een stap naar achteren en ziet de fles. De uitdrukking op haar gezicht bevriest.

Bill-E is de enige die zich niet beweegt. Gespannen tuurt hij naar de fles. Een moment lang denk ik dat hij de fles in zijn macht heeft, dat hij een bezwering van Derwisj gebruikt. Ik haal diep adem om hem er genadeloos van langs te geven. Maar dan zie ik de paniekerige blik in zijn ogen en ik begrijp dat hij de fles probeert tegen te houden. Ík ben degene die hem de lucht in doet gaan.

De fles bereikt een punt ongeveer een halve meter boven mijn hoofd en blijft daar hangen. Hij draait nog sneller dan daarnet en maakt een zacht zoevend geluid.

'Wat gebeurt hier?' roept Robbie uit. 'Grubbs, doe jíj dat?'

Ik antwoord niet. Ik kijk strak naar de fles. Hij tolt zo snel om zijn as dat de fles zelf niet meer te onderscheiden is, maar ik merk dat het me lukt de beweging te vertragen. De wereld om me heen lijkt in slow motion te gaan. De monden van de mensen bewegen oneindig langzaam. De woorden bereiken me alsof ze uit een kilometerslange pijp worden getrokken.

'Grrruuuubbbsssssss! Wwaaaaattttt... ggeeeebbbbeeeeuuuuurrrttttt... eeeeerrrrr?'

De fles explodeert en de wereld gaat weer sneller. Glassplinters vliegen op mij, Reni, iedereen in de kamer af, op onze gezichten en ogen. In een reflex brul ik een woord van magie. Ik weet niet wat het woord is en waar het vandaan komt. Maar het effect is dat de glassplinters ter plekke bevriezen. Ze blijven hangen in de lucht, tientallen stukjes glas, als een wolk miniatuurpijlen met de punten op ons gericht.

'Shiiit!' roept iemand, eerder opgewonden dan bang. Mijn vrienden laten langzaam hun armen zakken die ze in een reflex als bescherming voor hun gezicht hadden gehouden.

Bill-E staart naar de stukjes glas, en dan naar mij. Er staat een diepe frons op zijn voorhoofd. Hij weet dat dit magie is, maar hij snapt niet hoe ik het heb gedaan. Hij heeft me meer dan dit zien doen op Slagtenstein, maar op die besloten plek zinderde het van de magische energie. Daar kon vrijwel iedereen verbazingwekkende staaltjes magie laten zien. Hij was ervan overtuigd, net als Derwisj, dat ik in de gewone wereld evenveel magische kracht bezat als een dodo.

'Grubbs,' zegt Reni aarzelend en ze raakt mijn rechter elleboog aan. 'Is alles oké met je?'

'Ja,' fluister ik.

'Weet jij wat er aan de hand is?' Angstig, op zoek naar geruststelling. Ze staart naar de glassplinter vlak bij haar gezicht, bang dat hij weer op haar af schiet.

'Ja,' antwoord ik glimlachend. Zonder te weten hoe ik het doe, wuif ik met mijn hand naar het glas en een aantal splinters verandert in bloemen, die langzaam en sierlijk omlaag zweven. Ik zwaai met mijn andere hand en glassplinters veranderen in vlinders. Ze fladderen weg, naar het licht boven onze hoofden. Een laatste gebaar met mijn handen en de rest van het glas verandert in een mengeling van vlinders en bloemen.

Ik steek mijn hand uit naar een van de omlaagzwevende bloemen en geef hem aan Reni. '*Pour vous, madame.*'

Dan begint iedereen te juichen, me op mijn rug te slaan, naar de bloemen en de vlinders te graaien, ze willen weten hoe de truc werkt.

Alleen Bill-E weet dat het geen truc was. Alleen hij heeft door dat het echte magie was. En alleen hij kent en begrijpt de verbijstering en de panische angst die ik voel.

Later die avond. Iedereen is naar bed, behalve Bill-E en ik. Ik sta bij de deur van mijn kamer, nog steeds met een bloem in mijn hand. Bill-E staat tegenover me en kijkt me ernstig aan.

'Hoe heb je het gedaan?'

'Derwisj heeft me het een en ander geleerd.'

Bill-E schudt zijn hoofd. 'Onzin. Derwisj heeft tegen me gezegd dat je geen magie wilde leren. Hem maakt het niet uit. Maar ook al was je bij hem in de leer gegaan, dan nog was dit heel wat anders dan ik hem ooit heb zien doen. Behalve op Slagtenstein dan.' Hij kijkt zenuwachtig om zich heen. 'Breken de demonen door? Heb je gebruik gemaakt van hun macht?'

'Nee. We zijn hier veilig. Demonen kunnen Carcery Vale niet in.'

'Hoe heb je het dan gedaan?' dringt hij aan. 'Waar kwam die magie vandaan?'

Ongelukkig schud ik mijn hoofd. 'Zet het uit je hoofd. Dit heeft niets met jou te maken.'

'Maar misschien kan ik je helpen als ik –'

'Ik zeg toch dat het jouw zaken niet zijn!'

Bill-E kijkt me gekwetst aan en ik heb onmiddellijk spijt.

'Het is allemaal niet zo erg,' lieg ik. 'Het is al een tijdje aan de gang. Ik heb het er nog niet met Derwisj over gehad, maar na vanavond denk ik dat het wel moet.'

'Is dit de eerste keer dat het gebeurt?' vraagt Bill-E.

'Er waren wel aanwijzingen, maar niet zo duidelijk als nu.'

'Denk je...' Hij kan zich er nauwelijks toe zetten om de woorden uit te spreken. 'Denk je dat je een tovenaar bent?'

'Nee. Dan had Derwisj het wel geweten. Maar misschien kan ik meer dan we dachten. Misschien ben ik een latente magiër. Als dat zo is, weet Derwisj wel raad.'

Bill-E knikt, maakt aanstalten om weg te gaan en kijkt me weer aan. 'Je kunt het nu niet meer uit de weg gaan,' zegt hij zacht. 'De magie, bedoel ik. Je zult in de leer moeten, om het te leren beheersen. Als het je vanavond niet was gelukt dat glas tegen te houden... als je het niet in bloemen en vlinders had kunnen veranderen...'

'Ik weet het,' verzucht ik.

'Je gaat het Derwisj echt vertellen? Je gaat niet proberen het geheim te houden?'

'Ik zal het hem vertellen. Zo slim ben ik nog wel.

Ik weet wat magie kan aanrichten als die niet in juiste banen wordt geleid. Ik wil niet dat iemand iets overkomt.'

Bill-E glimlacht, wenst me goedenacht en gaat weg.

Ik glip mijn slaapkamer in en ga met mijn kleren aan op bed liggen. Ik staar naar het plafond en luister naar mijn hart dat tekeer gaat en het bloed door mijn lichaam jaagt, en probeer wijs te worden uit wat er in hemelsnaam in me aan de gang is.

Nog later. Ik word langzaam wakker. Het dringt tot me door dat ik op bed in slaap ben gevallen. Dan besef ik opeens dat ik niet meer op bed lig. Ik sta bij het ronde gebrandschilderde raam in mijn slaapkamer en luister naar het gehuil dat buiten klinkt. Nee, niet buiten – hierbinnen!

In paniek kijk ik om me heen. Ik ben nu klaarwakker. In de kamer is niets te zien, maar ik hoor het gehuil van een weerwolf! Waar is hij? Hij moet vlakbij zijn. Het gehuil klinkt zo luid. Waar...?

Met een schok realiseer ik me dat hij zich in het glas vóór me bevindt. Tenminste, zijn weerspiegeling.

Mijn gezicht is donkerder dan anders. In mijn ogen ligt een kwaadaardige glinstering. Mijn tanden zijn zichtbaar onder mijn opgetrokken lippen. Ik til een hand op en zie dat mijn vingers naar binnen krullen, als een klauw. Ik huil opnieuw en stap de gekleurde stralen van het maanlicht in.

Ik blijf staan. Ik concentreer me op mijn weerspiegeling en voel dezelfde warmte als toen ik met

Reni zoende, vlak voordat de fles uit zichzelf begon te draaien. Ik bestudeer mijn gezicht, de scherpe lijnen, de woeste ogen. Ik stuur de warmte ernaartoe, de wil dat dit masker verdwijnt, de wens om mijn gewone gezicht terug te krijgen. Ik gebied dit visioen van mens-wolf te verdwijnen.

En dat doet het. Ook al zou het niet mogen gebeuren, mijn huid neemt zijn gewone vorm en kleur weer aan. Mijn lippen zakken terug over mijn tanden. Mijn vingers ontspannen zich. Het gehuil sterft weg in mijn keel en wordt een droog kuchen.

Enkele tellen later ben ik weer mezelf. Ik sta bij het raam, badend in het gekleurde licht van een maan die me om de een of andere reden niet meer in zijn greep heeft. De warmte is er nog steeds. Ik klamp me eraan vast als aan een knuffeldeken, neem haar mee naar bed en koester haar, houd haar de rest van de lange, uitputtende nacht in leven, te bang om mijn ogen te sluiten, te bang voor waar ik in zou kunnen veranderen als mijn waakzaamheid verslapt en ik me overgeef aan de weerloosheid van de slaap.

Schatgraven

Bij het krieken van de dag, wanneer de zon de maan heeft verjaagd en ik weer veilig ben, lukt het me nog een paar uurtjes slaap te krijgen. Maar het is een onrustige slaap, vol nachtmerries over weerwolven en een lichaam dat in verzet komt. Ik zie mezelf afschuwelijke dingen doen, chaos aanrichten. Alleen ben ik het niet helemaal. Het is een beest met mijn gedaante, maar met een verwrongen gezicht, slagtanden in plaats van mijn eigen gebit, klauwen in plaats van handen, met bloed doordrenkt haar.

Grubbs Grady – *monstre extraordinaire.*

Wanneer ik even na twaalven de trap af stommel, is de grootste troep al opgeruimd. Loch vertelt dat Reni iedereen om tien uur heeft gewekt en als demonen aan het werk heeft gezet. (Zijn woordkeus is enigszins ongelukkig.) Zelf moest ze er om elf uur vandoor, maar ze had Loch de opdracht gegeven ervoor te zorgen dat niemand er de kantjes van afliep.

'Dat was een goeie truc waar je ons gisteren mee beethad,' zegt Leon, terwijl hij in de zitkamer de bloemen opveegt. 'Ik wil dolgraag weten hoe je het hebt gedaan.'

'Het was magie,' zegt Charlie en hij wappert een vlinder het open raam uit.

'Een magische truc,' verbetert Leon hem.

'Nee, echte magie,' houdt Charlie vol. 'Ja toch, Grubbs? Ik heb de boeken overal zien liggen, over tovenaars, heksen en wat al niet meer. Het was echte magie, toch?'

'Nee.' Ik dwing mezelf tot een glimlach. 'Gewoon een truc. Er bestaat geen echte magie.'

'Maar die boeken –' roept Charlie uit.

'Zijn niet meer dan boeken,' onderbreek ik hem vermoeid en vervolgens draai ik me om en ga naar de keuken om te kijken hoe het er daar uitziet.

Terwijl ik wegloop hoor ik Leon nog mompelen. 'Magie! Soms ben je ook echt een eikel.'

'Het maakt me niet uit wat hij zegt,' reageert Charlie chagrijnig. 'Ik weet wat ik zag. Het was échte magie. Ik verwed er duizend kilo spekkies om.'

Wanneer alles zo schoon is als we het maar kunnen krijgen, nemen mijn vrienden afscheid en gaan naar huis, om bij te komen voordat het maandag is en we weer naar school moeten. Bill-E en Loch blijven – ze hebben geregeld dat ze de zondag hier mogen doorbrengen. Bill-E wacht totdat Loch naar de wc is en vraagt dan hoe ik me voel.

'Prima,' lieg ik, terwijl mijn hersenen pijnlijk tegen mijn schedel bonken en mijn maag misselijkmakend rommelt.

'Ik hoorde vannacht gehuil,' zegt Bill-E, 'nadat we naar bed waren gegaan. Ik werd er wakker van. Een paar anderen ook. Ze hadden het er vanochtend over, maar niet lang. De meesten probeerden erachter te komen hoe je die truc met die fles hebt gedaan.'

Ik grom wat, maar zeg niets.

'Grubbs?' zegt Bill-E aarzelend. 'Ik weet dat we het nooit over de familievloek hebben gehad. In Slagtenstein heb je me een paar belangrijke dingen verteld, maar meer ook niet en ik heb ook nooit aangedrongen.'

Bill-E heeft lange tijd gedacht dat Derwisj degene was die bijna in een weerwolf was veranderd. Uiteindelijk heb ik hem in Slagtenstein de waarheid verteld, met uitzondering van het feit dat Derwisj zijn oom is en niet zijn vader. Ik heb Bill-E nooit verteld dat we dezelfde vader hebben. Ik wilde wel, maar hij heeft een speciale band met Derwisj omdat die zijn echte vader zou zijn. Ik heb nooit de moed gehad om die illusie in rook te doen opgaan.

'Dus,' vervolgt Bill-E na een ongemakkelijke stilte, 'ik weet dat ik bijna in een weerwolf ben veranderd en dat jij en Derwisj me hebben gered. Jij hebt het opgenomen tegen Lord Loss en mijn menselijkheid teruggewonnen. Maar is die dreiging voorgoed voorbij?'

'Ja.'

'Ben ik veilig? Weet je dat zeker?'

'Honderd procent zeker.' Ik glimlach.

'En hoe zit het met…' Hij aarzelt opnieuw. 'Jouw magie… het gehuil…? Ben jij ook veilig?'

Een seconde lang weet ik niet wat ik moet antwoorden. Dan lieg ik, met een stalen gezicht. 'Ja.'

'Ik hoef je niet op te sluiten in de kooi in de geheime kelder?'

'Nee.' Ik lach gespannen. Ik heb de pest aan die kelder. Ik ben er maar één keer geweest sinds we Lord Loss hebben verslagen, toen Derwisj zijn verstand dreigde te verliezen vanwege zijn nachtmerries. 'Met mij gaat het goed. Dat gehuil was ik niet. Waarschijnlijk gewoon een grote hond die was losgebroken. En hou nu op met je zorgen maken – je werkt op mijn zenuwen.'

Loch komt terug, zijn handen afvegend aan zijn broek. Bill-E's vragen stoppen, maar ik voel dat hij me niet gelooft. Hij weet dat er iets aan de hand is, dat ik niet helemaal eerlijk ben. Maar hij verwacht bij lange na niet het ergste scenario. Hij vertrouwt me. Hij beschouwt me als zijn beste vriend. Hij gelooft niet dat ik over zoiets belangrijks keihard zou liegen.

Hij heeft het goed mis.

De zondag is één lange anticlimax. We hangen wat rond in huis, alle drie verveeld, zappen langs de kanalen op zoek naar iets behoorlijks, zetten een cd op en halen hem na een paar nummers alweer uit de speler. Loch maakt sarcastische opmerkingen tegen Bill-E om hem op te fokken. Ik maak me zorgen over lykantropie en magie.

'Wat een zooi,' moppert Loch en hij zet de televisie en de cd-speler uit. Hij springt overeind en wrijft in zijn handen. 'Laten we een potje worstelen.'

'Daar ben ik niet voor in de stemming.'

'Kom op!' spoort hij me aan en hij geeft me een tikje in mijn gezicht, in een poging me in beweging te krijgen.

'Nee.' Ik gaap.

Loch kijkt me kwaad aan en verlegt zijn aandacht dan naar Bill-E. 'Jij dan, Spleenio?' Hij pakt Bill-E, die een stuk kleiner is dan hij, bij zijn middel beet en slingert hem rond.

'Laat me los!' schreeuwt Bill-E en hij schopt om zich heen.

'Kijk hem eens spartelen,' zegt Loch lachend. Hij gooit Bill-E op de grond, laat zich bovenop hem vallen en begint hem te kietelen.

'Nee!' hijgt Bill-E met een rood hoofd, terwijl hij als een meisje naar Loch uithaalt, half lachend vanwege het kietelen, half huilend.

'Laat hem met rust,' zeg ik kwaad – de herrie maakt mijn hoofdpijn erger.

Loch stopt en staat op. 'Sorry, Bill-E,' zegt hij. 'Ik zal je overeind helpen.' Hij laat zijn rechterhand zakken. Bill-E steekt zijn hand uit en Loch trekt de zijne weg. 'Je bent de sultan van de sukkels, Spleen,' grinnikt hij. Met geamuseerde walging slentert hij hoofdschuddend naar de keuken.

Bill-E's ogen schieten giftige pijlen op Loch af, en dan op mij. 'Gossel is een schoft,' sist hij. 'Het kan me niet schelen dat hij je nieuwe beste vriend is. Hij is het uitschot van deze wereld. Schaam je dat je met hem omgaat.'

'Reageer het niet op mij af, wil je,' snauw ik hem toe. 'Jij wilt dat Loch je met rust laat? Reageer dan als een man in plaats van als een meisje. Hij treitert je omdat jij hem z'n gang laat gaan.'

'Nietes, hij treitert me omdat hij een treiterkop is,' kaatst Bill-E terug, met tranen van woede in zijn ogen.

67

Ik haal mijn schouders op, te uitgeput en te beurs om ertegenin te gaan.

Loch komt terug, en Bill-E houdt zijn mond maar kijkt ons dreigend aan, als een oude man die van zijn pijp is beroofd. Dan stormt hij weg de kamer uit en komt terug met zijn jas aan.

'Ga je naar huis?' vraag ik terwijl hij zijn jas dichtknoopt.

'Nee,' snauwt hij. 'Ik ga doen wat ik oorspronkelijk van plan was.'

'Huh?'

'Je weet wel. Mijn oorspronkelijke plan. Als er geen feest was geweest.' Ik staar hem wezenloos aan en hij knikt in de richting van het bos.

'O!' Ik grinnik. 'Lord Sheftree.'

'Wat is dat?' vraagt Loch.

'Niets,' zegt Bill-E snel. Hij werpt me een waarschuwende blik toe, die ik negeer. Ik ben nog steeds pissig op hem, omdat hij tegen mij tekeerging. (En ook pissig op mezelf, omdat ik niet de vriend – de broer – ben die hij verdient.)

'Ken je de verhalen over Lord Sheftree, die vent die hier vroeger heeft gewoond?' vraag ik Loch.

'De baby en de piranha, jazeker.'

'Grubbs...' gromt Bill-E, want hij wil niet dat ik ons geheim met een buitenstaander deel.

'Er is een legende over zijn schat.' Met meedogenloze voldoening zie ik woede op Bill-E's gezicht verschijnen.

'Een schat?' echoot Loch, wiens interesse is gewekt.

'Ze zeggen dat hij een hele lading goud en juwelen had die niemand ooit heeft gevonden. Hij zou het hier ergens hebben begraven. Het zou nog steeds hier ergens onder de grond moeten liggen wachten...'

Loch kijkt me zijdelings aan, en dan Bill-E. 'Is dat waar, Spleenio?'

'Krijg het heen en weer.'

Loch verstrakt. 'Ik vroeg je of het waar was,' zegt hij en hij doet dreigend een stap naar voren.

'Ja, misschien wel, nou en?' piept Bill-E, terwijl hij achteruit deinst.

'Enig idee waar die schat is?' vraagt Loch.

'Je rug op,' flap ik eruit. Loch en Bill-E moeten alle twee lachen en de spanning is even verdwenen.

'Nee, nou even serieus,' zegt Loch terwijl hij mij weer aankijkt. 'Is dit eerlijk waar of is die knul van Spleen me al die valse handdrukken aan het betaald zetten?'

'De legende is echt waar,' laat ik hem weten. 'Van die schat weet ik het niet. We zijn het hele bos al door geweest, hebben meer gaten gegraven dan een stel konijnen en we hebben niets gevonden. Dat klopt toch, Bill-E?'

'Ja,' antwoordt Bill-E zuchtend. Hij legt zich erbij neer dat hij ons geheim met Loch moet delen. 'Maar een schat begraaf je ook omdat je niet wilt dat iemand hem vindt. Als je Lord Sheftree bent slaat het nergens op om hem te verstoppen waar elke voorbijganger hem kan vinden. Hij ligt daar ergens, ik weet het zeker, en ooit, als we blijven zoeken...' Zijn stem sterft weg, hij staart in de verte.

'Ik dacht dat jullie al rijk waren,' zegt Loch tegen

me. 'Wat maak je je dan druk over een zwik in de grond gestopte snuisterijen?'

'Dat doe ik niet. Maar het zou wel spannend zijn als de schat echt bestond en we hem vonden. Bill-E en ik hebben er een heel aantal weekends naar lopen zoeken. Dat op zich was al leuk, ook al hebben we niks gevonden.'

'Hebben jullie het opgegeven?' wil Loch weten.

Ik haal mijn schouders op. 'Bill-E gaat zo nu en dan nog zoeken, maar ik heb al een tijdje niet meer meegedaan.'

'Hij heeft het te druk met worstelen met stomkoppen,' zegt Bill-E zuur, maar Loch reageert niet.

'Ik heb nog nooit naar een schat gezocht,' zegt Loch. 'Hoe doe je dat? Met een metaaldetector?'

'Nee,' antwoordt Bill-E. 'We lopen rond met een schop en zoeken naar een geschikte plek. Dan maken we proefgaten. Als we niets vinden, gooien we ze weer dicht en gaan we naar een andere plek.'

'Klinkt nogal amateuristisch,' zegt Loch twijfelend.

Bill-E lacht. 'Zoals *Grubitsch* al zei, was het zoeken op zich al leuk. Om het echt goed aan te pakken heb je ander, duur gereedschap nodig. Voor ons is het altijd een spel geweest.'

'Wat denk je ervan?' Loch kijkt me vragend aan.

'Je wilt gaan schatgraven?' Ik kreun. Het enige wat ik wil is gewoon een paar uur mijn bed in.

'Beter dan hier rondhangen en niets doen,' zegt Loch.

'Maar het regent,' protesteer ik.

'Het miezert een beetje. Het klaart zo op. Kom op, het is weer eens wat anders.'

'Niet voor Bill-E en mij.'

'Maar wel voor mij,' dringt Loch aan.

'Waarom gaan Bill-E en jij niet samen?' opper ik.

'Dacht het niet!' roepen ze tegelijkertijd uit. Ze kijken elkaar aan en lachen, even (héél even!) bondgenoten.

'Hij mag mee als jij meegaat,' zegt Bill-E. 'Anders ga ik naar huis. Ik moet nog huiswerk maken.'

'Kom op.' Loch slaat weer zijn dreigende toon aan. 'Doe niet zo ongelooflijk zeikerig, Grubbs.'

'Oké,' kreun ik en met tegenzin kom ik overeind. 'Geef me een paar minuten om iets anders aan te trekken. Loch, jij gaat met Bill-E de schoppen pakken. Bill-E weet waar ze staan.'

'Cool!' zegt Loch grijnzend en hij slaat Bill-E op zijn rug. 'Laat het maar over aan Spleenster en mij – wij weten wat we doen.'

'Eén ding nog,' zegt Bill-E stijfjes. 'Stel dat we tegen alle verwachtingen in toch een schat vinden, dan is die van ons. Jij hebt er geen enkel recht op, begrepen? Ik wil niet dat je het geintje van *De Schat van de Sierra Madre* met ons uithaalt.'

'De schat van de wat?' Loch fronst.

'Dat is een zwart-witfilm,' legt Bill-E uit terwijl hij Loch voorgaat. 'Ik zal je de plot vertellen terwijl we de schoppen gaan halen. Het gaat over een stel schatzoekers en de destructieve eigenschappen van paranoïde hebzucht...'

* * *

Mijn hoofd wordt iets helderder door de frisse lucht,

maar na een uur doelloos rondlopen en graven wil ik nog steeds het liefst mijn bed in. Maar Loch heeft het erg naar zijn zin. Hij is als een bezetene aan het graven en raakt Bill-E van tijd tot tijd 'per ongeluk' met kluiten aarde om de eentonigheid te doorbreken. Het kan Bill-E niet veel schelen. Hij is voornamelijk blij dat ik weer met hem door het bos zwerf, ook al hebben we een extra (ongewenst) persoon op sleeptouw.

'We hebben de afgelopen jaren wel wat dingetjes gevonden,' vertelt Bill-E, terwijl we onze derde poging staken en het gat weer dichtgooien. 'Oude munten, stukjes stof, een half mes.'

'Iets van waarde?' wil Loch weten.

'Niet echt,' zegt Bill-E. 'Een van de twee munten had iets kunnen opbrengen als hij in een betere conditie was geweest, maar hij was erg verweerd en er was een hap uit. Ik mocht hem houden van Derwisj.'

'Maar als ze niets waard waren, waarom zijn ze dan begraven?' vraagt Loch.

'Dat zijn ze niet,' antwoordt Bill-E. 'Het niveau van de grond verandert voortdurend. Dingen vallen of worden weggegooid. Er groeit gras of onkruid overheen. Ze zakken in de natte aarde weg. Er wordt nieuwe aarde overheen geblazen. Binnen de kortste keren ligt alles een halve meter onder de grond... een meter... meer. De wereld is voortdurend dingen aan het begraven die zijn vergeten of weggegooid. Jeetje, zelfs de grote Sfinx in Egypte lag ooit half onder het zand begraven en was bijna verloren gegaan.'

'Wat een onzin,' zegt Loch snuivend.

'Nee, het is zo,' zegt Bill-E. 'We hebben het met

geschiedenis gehad. En er zijn massa's belangrijke plekken in Egypte -- grafkamers en zo – die onder het zand liggen. In sommige steden weten ze waar ze liggen, maar zijn er door de mensen huizen op gebouwd, zodat ze niet kunnen worden opgegraven.'

'Dat soort dingen leren wij niet bij geschiedenis,' zegt Loch wantrouwend.

'Nou,' zegt Bill-E zelfingenomen, 'misschien als je tot de betere leerlingen zou behoren...'

Loch begint genoeg te krijgen van het rondlopen en graven. Ik blij. Afgezien van het feit dat ik moe en chagrijnig ben, is het al laat in de middag en het duurt niet lang meer voordat de zon ondergaat en er een nog vollere maan dan gisteren boven de aarde komt te hangen, als een in room gedrenkte pruim. Misschien is Derwisj al terug. Dan wil ik dat we samen een lang gesprek voeren over wat er met mij aan de hand is en wat we eraan kunnen doen.

'Wat een gezoek,' bromt Loch en hij bestudeert de snee in zijn hand die hij bij de laatste kuil heeft opgelopen.

'Nog één poging,' zegt Bill-E. 'En dan stoppen we.'

'Waarom niet nu meteen?' vraagt Loch. 'Dit is stompzinnig. Zo vinden we nooit iets.'

'Dat is een oud bijgeloof van ons. Als we besluiten dat het genoeg is geweest, graven we altijd nog één gat. Ja hè, Grubbs?'

'Ja,' mompel ik. 'Zo hebben we het altijd gedaan.'

'En kijk eens wat het jullie heeft opgeleverd,' zegt Loch snuivend. Maar hij gaat akkoord met het plan, want hij wil niet degene zijn die het als eerste opgeeft.

Bill-E leidt ons verder het ruige struikgewas van het bos in, op zoek naar een goede plek voor de laatste poging van de dag. De doornstruiken haken aan mijn broekspijpen en jas, en één tak grijpt me diep in mijn nek, met als gevolg een luid gevloek en een paar druppels bloed. Ik sta op het punt de hele onderneming af te blazen en te eisen dat we onmiddellijk naar huis gaan, weg met het bijgeloof, wanneer iets in het landschap me tegenhoudt.

We bevinden ons midden in het struikgewas, omgeven door allerlei bosjes en struiken. Voor het ongeoefende oog ziet het er vrijwel hetzelfde uit als de rest van het bos, maar als je een paar jaar lang een bepaald stuk bos hebt verkend, kijk je er anders naar. Je leert de verschillende soorten bomen, bloemen en planten kennen. In gedachten markeer je bepaalde plekken zodat je er makkelijk en snel je weg kunt vinden. Hier ben ik eerder geweest, ik weet het zeker, ik kan me alleen niet meer herinneren wanneer...

Dan valt de herinnering op zijn plek. Het was vlak voordat Bill-E in een weerwolf veranderde, voordat Derwisj me over de Demonata en Lord Loss vertelde. Bill-E en ik waren op een van onze schatgraverstochten. We waren net met graven begonnen, toen Bill-E Derwisj zag en opeens heel geheimzinnig begon te doen. Ik moest me van hem verstoppen, zodat Derwisj ons niet zag, en toen zijn we hem gevolgd. Dat was de dag dat Bill-E me overrompelde met zijn theorie over weerwolven. De dag dat mijn noodlot op zijn plek viel en ik op ramkoers kwam te liggen met Lord Loss en zijn weerzinwekkende gezelschap.

'Laten we hier graven.'

'Ik weet het niet,' zegt Bill-E fronsend, terwijl hij de bodem bestudeert. 'De grond ziet er nogal hard uit.'

'Nee,' zeg ik, en ik kijk om me heen. 'Er moet hier ergens een zachte plek zijn, tussen een stel stenen. Tenminste, die was er ooit...'

Ik vind de plek en grom tevreden. Ik kan de sporen nog zien van de vorige keer dat ik hier begon te graven, ongeveer een minuut voordat Bill-E raar tegen me ging doen en ik werd opgeëist door de wereld der weerwolven.

'Hoe weet je dat die daar was?' vraagt Bill-E.

'Magie,' antwoord ik lachend en dan drijf ik mijn schop in de zachte aarde.

Een halfuur later lacht niemand meer. We worden omringd door drie verse hopen aarde en stenen en graven steeds dieper, schuin de grond in. Vlak onder de doornstruiken en het gras waar we de aarde en de stenen hebben weggeschept, zit een groot stuk rots in de grond. Aan weerszijden ervan liggen ook rotsen. Het is nog te vroeg om het zeker te weten, maar het ziet eruit als een ingang van een tunnel of een grot.

'Wat is dat?' roept Loch opeens uit en hij bukt zich. Hij komt weer overeind met iets goudkleurigs in zijn hand. Mijn hart slaat een slag over. Bill-E en ik dringen opgewonden om hem heen. Dan houdt hij het omhoog in het schemerige licht en we zien dat het gewoon een oranjegele steen is.

'Shit!' Loch slingert hem het bos in.

Bill-E trekt een gezicht en gaat door met graven. Hij werkt aan de zijkanten waar hij de rotsen vrijmaakt, terwijl Loch en ik recht omlaag graven. Na een tijdje pauzeert Bill-E en hij strijkt over het rotsoppervlak.

'Het is moeilijk te zeggen of dit een natuurlijke kloof is of dat hij door mensen is gemaakt. De zijkanten zijn glad, alsof ze gepolijst zijn. Maar ik denk dat ze even glad zouden aanvoelen als de natuur ze had gepolijst.'

Loch stuit op een grotere steen en krimpt ineen van de pijn. Hij gaat op zoek naar de randen, zet zijn schop onder een van de hoeken en zegt dat ik hem moet helpen. Samen wrikken we de steen los en tillen hem dan op de rand van het gat, dat ondertussen kniediep is geworden (gemeten naar mijn lange benen en niet naar Bill-E's korte pootjes).

Loch graaft het gat dat vrij is gekomen verder uit en kijkt dan chagrijnig naar het resultaat. 'Weer een rotsblok. Lijkt nog groter dan het vorige.'

'Hoe dieper we graven, des te rotsachtiger het wordt,' merk ik op.

'Dat is altijd zo,' zegt Bill-E. 'De zwaarste stenen zakken het diepst.'

'Is het de moeite waard om door te gaan?' wil Loch weten. 'Ik denk niet dat er hier een schat ligt.'

'En hoe zou jij dat kunnen weten?' vraagt Bill-E spottend.

'Gezond verstand,' zegt Loch. 'Die vrek van een

Lord Sheftree wilde natuurlijk makkelijk bij zijn schat kunnen, zodat hij hem elk moment kon opgraven. De grond hier is te rotsachtig. Te veel werk. Het was makkelijker geweest als hij hem ergens anders had begraven.'

'Hé,' roept Bill-E uit, 'we hebben het hier wel over een maniak, ja? Die vent heeft zijn piranha's een baby gevoerd! Wie zal het zeggen wat hij allemaal wel of niet zou doen. Misschien heeft hij wel mannen ingehuurd om dit gat te graven, ze vervolgens vermoord en bij zijn schat laten liggen rotten. Misschien heeft hij hem elke paar jaar door andere mensen laten opgraven om er wat bij te leggen en heeft hij die ook allemaal vermoord. Man, er kunnen hier stapels skeletten liggen.'

Loch en ik werpen elkaar een ongemakkelijke blik toe.

'Ik weet niet of ik zin heb om skeletten op te graven,' mompelt Loch.

'Bang voor een stel oude botten, *Gosselio*?' Bill-E lacht kakelend.

'Nee. Maar als er lijken liggen, mogen we hun rust niet verstoren.'

'Zelfs niet als ze op een kist met gouden munten liggen?' vraagt Bill-E uitdagend. 'Vijf kisten? Tien? Zelfs niet als we afspreken dat jij een deel van de opbrengst krijgt?'

'Daarnet zei je dat ik niets zou krijgen,' snauwt Loch.

'Je kunt niet verwachten dat je een gelijk deel krijgt,' zegt Bill-E pesterig, 'maar stel dat er daar een fortuin ligt en je hebt ons geholpen het op te gra-

ven, dan zullen we je naar behoren belonen. Nietwaar, Grubbs?'

'Genoeg gekletst,' grom ik en ik steek mijn schop
in de grond, op zoek naar een spleet die ik kan gebruiken om de volgende grote steen los te wrikken.
'Graven.'

De zon is bijna onder. Zonder te overleggen leggen
we tegelijkertijd de schoppen neer en bekijken de
vruchten van onze arbeid. Het gat komt nu tot onze dijen. De laatste twintig minuten is het moeizaam
gegaan – de ene grote, onhandelbare steen na de andere. Het gat is tenminste niet breder geworden dan
toen we begonnen, dus we hoefden alleen maar omlaag te graven en niet ook nog eens opzij.

'Hier kunnen we eeuwig mee doorgaan,' hijgt
Loch, terwijl hij het zweet van zijn voorhoofd wist.
We staan alle drie als otters te zweten. 'Er valt niet
te zeggen hoe diep het is.'

'Wat denk jij, Bill-E?,' vraag ik en ik kijk naar de
ondergaande zon. Ik voel de misselijkheid en de
hoofdpijn weer aanzwellen. 'Tijd om te stoppen?'

'Ja,' beaamt Bill-E. 'We kunnen in het donker
niet graven. Maar we komen wel terug, toch?' Hij
kijkt naar mij, naar Loch, en dan weer naar mij.
'Wie weet is dit wel de vondst van het millennium.
Zijn we maar een paar meter – misschien wel centimeter – verwijderd van de schat van Lord Sheftree. Die kunnen we niet aan onze neus voorbij laten gaan.'

'Hij heeft gelijk,' zegt Loch. 'Waarschijnlijk is het
gewoon een groot oud gat, maar...'

'Volgend weekend?' opper ik.

'Zo lang kan ik niet wachten,' zegt Bill-E. 'Er de hele week aan moeten denken, dromen over de schat...'

'En stel dat er iemand anders langskomt, het gat ziet en afmaakt wat wij begonnen zijn?' gromt Loch. 'Er staan geen hekken om jullie terrein heen, toch?'

'Nee.' Ik schraap mijn keel. 'In feite is dit niet ons land. Dit deel van het bos is niet van ons.'

Loch kijkt me strak aan, en dan Bill-E, die ongemakkelijk met zijn handen staat te wriemelen. 'Jullie kunnen er geen wettelijke aanspraak op maken,' zegt hij zacht. 'Je was aan het bluffen, je probeerde me mijn aandeel door de neus te boren.'

Bill-E haalt zijn schouders op. 'Als wij het je niet hadden verteld, zou je niet eens weten dat er een schat lag. Trouwens, hij is bij geboorterecht van ons, van Grubbs.'

'Nee, dat is 'ie niet,' werpt Loch tegen. 'Hij is geen familie van Lord Sheftree. Derwisj heeft gewoon het huis gekocht, meer niet. Als ik wil, kan ik met een stel anderen terugkomen en de schat zonder jullie opgraven.'

Bill-E slikt moeizaam en kijkt me hulpeloos aan.

'Een derde,' zeg ik vastberaden. 'Gelijke delen. Ervan uitgaand dat er daar beneden iets ligt. En ervan uitgaand dat we het mogen houden als er iets ligt – misschien zijn er wel wetten die zeggen dat we helemaal niets mogen houden. Maar stel dat de schat er ligt en we hebben er recht op, dan delen we hem in drieën. Afgesproken?'

'Afgesproken,' zegt Loch snel.

Bill-E kijkt hem vol walging aan, maar knikt kwaad. 'Oké.'

'En we vertellen het niemand, niet voordat we weten wat onze rechten zijn,' voegt Loch eraan toe. 'Het heeft weinig zin om zo hard te werken om vervolgens de beloning niet te kunnen opstrijken. Als we de schat vinden, houden we ons gedeisd en kijken we eerst wat onze rechten zijn. Misschien moeten we wel wachten met het aangeven van onze vondst totdat we achttien zijn. Misschien kunnen we nooit aangifte doen. Moeten we alles op de zwarte markt verkopen.' Hij grijnst. 'De goud- en diamantenmarkt!'

'Dat weet ik nog zo net niet,' zegt Bill-E. 'We kunnen goed in de problemen komen als we een dergelijke vondst verzwijgen.'

'We kunnen ons vrijkopen met het geld van de schat,' zegt Loch lachend. 'Hoe dan ook, we zeggen niets totdat we weten hoe het zit, oké?'

Bill-E en ik wisselen een snelle blik en knikken dan.

'Mooi. Dat is dan geregeld.' Hij klautert het gat uit en legt zijn schop aan de kant. 'Ik weet niet hoe het met jullie zit, maar ik ben van plan om hier meteen na school naartoe te komen, morgen en de rest van de week en de volgende week en de week daarna, totdat we de bodem van dit verdomde gat hebben bereikt. En jullie?'

'Ik kom ook,' stemt Bill-E in. 'Niet elke dag – opa en oma worden achterdochtig als ik elke dag laat thuiskom – maar de meeste dagen zal het geen probleem zijn.'

'Grubbs?' vraagt Loch.

'Ik zal er zijn,' beloof ik, blij dat ik iets heb wat me afleidt van mijn recente angsten. Ik kijk omhoog naar de steeds donkerder wordende hemel en voeg er als voorwaarde aan toe: 'Maar alleen tot zonsondergang. Ik ga hier niet in het donker staan graven. Niet als de maan schijnt.'

* * *

Weer thuis. Ik wacht op Derwisj. Hij had al terug moeten zijn. Ik bel hem op zijn mobieltje om te controleren of alles in orde is, maar krijg de voicemail. Ik zit in de televisiekamer, met de televisie aan, de lichten uit. In mijn botten en mijn buik voel ik de maan opkomen. Ik concentreer me op mijn ademhaling, op wilskracht probeer ik niet te veranderen, menselijk te blijven.

Zonder dat het geluid van een motor heeft geklonken, gaat even voor tienen de deur open en Derwisj strompelt de kamer in. 'Mijn hoofd,' kreunt hij en hij stort naast me op de bank neer, zijn ogen bedekkend met een hand.

'Wat is er gebeurd?' vraag ik, in de veronderstelling dat hij een ongeluk heeft gehad. Dan ruik ik de alcoholwalm. 'Je bent dronken!'

'Ik was vergeten hoeveel Meera kan drinken,' mompelt hij. 'En in tegenstelling tot gewone mensen heeft zij de volgende ochtend geen kater. Zodra ze wakker werd, begon ze weer en ik moest meedoen.' Hij legt zijn handen over zijn oren en kreunt. 'Die klok. Die klok!'

81

'Vertel me niet dat je zo naar huis bent komen rijden,' bijt ik hem toe.

'Denk je dat ik gestoord ben?' Derwisj komt even
overeind. 'Ik heb een nuchterheidsbezwering uitgesproken.'

'Je bent afgeladen!'

'Nee, heus, het werkt perfect. Alleen niet zo heel
lang. Vlak bij Carcery Vale was 'ie uitgewerkt. Ik
moest stoppen en verder lopen. En het ergste is dat
de kater daarna met twee keer zo veel venijn toeslaat.' Derwisj vouwt dubbel, met zijn hoofd in zijn
handen, jammerend als een mishandelde hond.

'Eigen schuld,' zeg ik snuivend. 'Op jouw leeftijd
zou je beter moeten weten.'

'Alsjeblieft Grubbs, je bent m'n moeder niet,'
kreunt Derwisj. Hij komt wankelend overeind en
loopt naar de keuken. 'Ik ga een ongelofelijk grote
kop warme chocola maken en trek me daarna terug
in mijn kamer. Ik wil alleen worden gestoord als het
huis in vlammen opgaat.' Hij pauzeert. 'Schrap die
laatste opmerking maar. Ook dan wil ik niet worden gestoord. Laat mij ook maar in vlammen opgaan – alles beter dan dit.'

Ik overweeg hem terug te roepen, hem te vragen
naast me te komen zitten en te luisteren. Maar dat
zou niet eerlijk zijn. Hij kan beter eerst goed slapen
en dan vertel ik het hem morgen wel. Trouwens, op
dit moment voel ik me niet heel erg beroerd, niet zo
erg als gisteravond. Ik wil de demonen niet verzoeken, maar ik denk dat ik het ergste wel heb gehad.

Derwisj' gesnurk doet het huis op zijn grondvesten

trillen. Ik wil niet slapen. Ik wil blijven waken, me op mijn ademhaling blijven concentreren, gespitst op elk spoortje van verandering. Maar ik ben uitgeput. Alle energie die in het feest is gaan zitten... te weinig slaap gisteravond... het rondlopen en graven van vanmiddag. Mijn ogen weigeren open te blijven. Zelfs koffie – iets wat ik zelden drink – haalt niets uit.

Ik kleed me uit en trek een T-shirt en een boxershort aan. Ik glijd tussen de lakens. Terwijl ik daar lig, bedenk ik dat ik eigenlijk een touw zou moeten pakken om mijn enkels aan de bedstijl vast te binden, misschien ook een van mijn handen. Dat zou me moeten tegenhouden, stel dat ik vannacht verander. Een goed plan, maar het komt te laat. Nog terwijl ik overeind probeer te komen om uit bed te stappen en een touw te halen, zijn mijn loodzware oogleden al dichtgevallen en zak ik uitgeteld weg in het kussen.

Raspende ademhaling. Bonkende geluiden. Koude nachtlucht.

Langzaam maar zeker kom ik bij zinnen, net zoals de vorige nacht. Ik zie twee handen een groot rotsblok uit de aarde tillen. Ze gooien het achteloos aan de kant, alsof het een kiezelsteen is. Ze bewegen zich naar de grond, scheppen nog meer aarde weg... en houden stil wanneer ik me realiseer dat het míjn handen zijn. Ik schakel mijn wil in en kijk om me heen.

Ik sta in een gat, gekleed in niet meer dan een T-shirt en een boxershort. Blote voeten. Met aarde besmeurde handen. Het duurt een paar seconden voordat het tot me doordringt dat dit het gat is waar we die middag hebben staan graven. Ik snap waarom het niet meteen tot me doordringt: het gat is ongeveer vier keer zo diep als toen we het achterlieten.

Ik kijk omhoog. Ik sta een paar meter lager dan het bos om me heen, omringd door rotsen. In een plotselinge aanval van paniek, bang dat de rotsen gaan schuiven en me vermorzelen, grijp ik me vast aan een richel en trek mezelf omhoog. Een paar snelle klimbewegingen later sta ik aan de rand van het gat, huiverend van kou en angst, verwonderd om me heen kijkend.

Overal rotsen en aarde. Ik weet niet hoelang ik daar beneden ben geweest, maar ik moet als een waanzinnige hebben gegraven. Het vreemde is dat ik me in de verste verte niet moe voel. Mijn spieren doen geen pijn. Afgezien van angstig gehijg is mijn ademhaling normaal en mijn hart klopt rustig alsof ik een ontspannen wandelingetje heb gemaakt.

Ik loop naar een van de grotere stenen. Behoedzaam en zonder een geluid te maken bestudeer ik hem. Ik buig me voorover, pak hem aan weerszijden beet en probeer hem van de grond te tillen. Ik kan er een paar centimeter beweging in krijgen, maar dat is dan ook alles, ik moet hem laten vallen. Hij weegt verdomme meer dan een ton. Ik betwijfel of ik hem onder normale omstandigheden verder zou kunnen krijgen dan kniehoogte, zonder volledig door mijn rug te gaan. Toch moet het me zijn gelukt. Niet alleen om hem op te tillen, maar ook nog eens om hem het gat uit te slingeren.

Terug naar de rand van de miniafgrond. Ik staar omlaag de duisternis in. Wat heeft me hierheen gebracht? Ik zou graag willen geloven dat ik aan het slaapwandelen was, dat ik hierheen ben gegaan omdat ik al de hele avond aan het gat heb liggen denken. Maar er is meer aan de hand. Mijn zintuigen staan op scherp, dierlijk scherp (wólf-scherp), en ik denk niet dat het toevallig is dat ik hier ben beland, gravend alsof mijn leven ervan afhangt.

Hoe groot mijn weerzin ook is, ik ga zitten, draai me om en laat me in het gat zakken. Wanneer ik de bodem heb bereikt, blijf ik even staan om mijn ogen aan de duisternis te laten wennen. Dan kijk ik goed om me heen. Het gat is niet veel breder dan daarvoor – de rotsen aan weerszijden rijzen vrijwel recht uit de grond op, als een mijnschacht. De hoek waaronder we hebben staan graven is hetzelfde gebleven. Het is wel steil, maar je kunt er makkelijk langs omlaag en weer naar boven.

Ik buig me en ga met mijn handen naar het volgende rotsblok dat verwijderd moet worden. Het zit stevig in de grond geklemd. Ik geef een harde ruk, maar het beweegt nauwelijks. Maar ik weet zeker dat ik het, als ik het een paar minuten geleden had geprobeerd, toen ik nog sliep, eruit had kunnen rukken en –

Gefluister.

Ik frons en houd mijn hoofd schuin. Het geluid was er al een tijdje, misschien al toen ik bij zinnen kwam, maar ik dacht dat het de wind in de bomen was. Nu ik me erop concentreer, besef ik dat het niet vanuit de bomen komt. Het lijkt bij de rotsen vandaan te komen.

Mijn verwarring en angstige voorgevoelens worden doorkruist door een golf van opwinding. Misschien is de grot vlakbij en is het geluid het fluiten van de wind tussen aarde en rots. Er flitst een beeld door me heen van de schat van Lord Sheftree en de roem waarmee ik als ontdekker zal worden overladen. Met hernieuwd enthousiasme grijp ik het rotsblok weer beet en trek zo hard als ik kan. Ik zal het dan wel niet uit het gat kunnen gooien, maar als ik er een klein beetje beweging in krijg, kan ik het misschien –

Een flikkering op het rotsblok. Een licht uitstulpen. Er groeit een schaduw uit, niet langer dan een seconde, dan is hij weer verdwenen.

Ik val achterover, met bonkend hart, en kan nog net een schreeuw onderdrukken.

Mijn ogen houd ik strak op het rotsblok gericht, gespannen wachtend of hij weer gaat veranderen. Er gaat een minuut voorbij. Twee minuten.

Ik kom overeind, met héél erg trillerige benen, en klim zonder nog achterom te kijken het gat uit. Ik ga er snel vandoor en loop met grote passen en mijn hoofd omlaag het bos door, zonder te letten op de twijgen, de stenen en de doornen die het op mijn blote voeten hebben gemunt.

Ik doe mijn uiterste best om niet te denken aan wat ik net heb gezien (of meen te hebben gezien). Maar het lukt niet. Het komt steeds weer terug, het blijft ratelend in mijn schedel rondtollen, als een dolle rat in een kooi.

De flikkering... het uitstulpen... de schaduw...

Het kan een spel van het licht of van mijn schichtige brein geweest zijn, maar voor mij zag het eruit als een gezicht dat zich vanaf de andere kant door de steen heen probeerde te dringen. Een menselijk gezicht. Dat van een *meisje*.

Zwoegen

De volgende ochtend geen teken van Derwisj. Normaal gesproken staat hij vroeg op, dus ik denk dat hij nog steeds last heeft van de zuippartij in het weekend. Ik wil hem wakker maken, hem vertellen over mijn innerlijke opschudding, de magie, het gehuil, wat er in het gat is gebeurd. Maar in plaats daarvan besluit ik hem zijn roes te laten uitslapen. We hebben het er wel over wanneer ik van school kom en hij weer helder en geconcentreerd kan denken.

Ik sta mezelf schoon te boenen in de badkamer. Het vuil wil er niet af. Vooral niet onder mijn nagels. Ongewild denk ik aan grafdelvers – hun handen moeten er altijd zo smerig uitzien.

Wanneer ik het vuil er zo goed mogelijk af heb gekregen kijk ik op. Ik zie mijn spiegelbeeld. Ik herinner me het gezicht dat ik zag, of meende te zien, in het rotsblok. Er is iets wat blijft knagen. Het is niet het feit dat er überhaupt een gezicht in het rotsblok was verschenen. Het is meer dan dat... iets anders...

Terwijl ik naar de voordeur loop weet ik opeens wat het is. Heel in de verte leek het gezicht op dat van mijn zus Gret.

De dag verloopt traag, alsof ik hem uit tweede hand ervaar en het lichaam van iemand anders een gewone schooldag zie doormaken. Kletsen met Charlie, Leon en Shannon. Reni met een brede grijns begroeten wanneer ze met Loch arriveert. De complimenten van mijn vrienden over het feest wegwuiven. Het voorval met de fles met een schouderophalen afdoen – 'een echte tovenaar geeft zijn geheimen nooit prijs.'

Bill-E komt eraan. Ik weet dat hij staat te popelen om het met Loch en mij over de grot te hebben, maar in het bijzijn van de anderen kan dat niet en dus loopt hij zwijgend voorbij. Loch roept hem een belediging achterna, grover dan anders, misschien om te verhullen dat hij Bill-E's geheime bondgenoot is geworden.

De lessen interesseren me niet. De leraren maken zo weinig indruk op me dat ze net zo goed geesten hadden kunnen zijn. In de pauze en tijdens de lunch neem ik nauwelijks deel aan de gesprekken. Ik ben met mijn aandacht vooral bij de gebeurtenissen van de afgelopen nachten, het gat dat ik heb gegraven, het gezicht in het rotsblok, het monster dat ik blijkbaar aan het worden ben.

Na de lunch lopen we terug naar de klas. Loch en ik zijn alleen. Bill-E komt ons achterna gerend en vraagt zachtjes: 'Gaat het vanmiddag nog door?'

'Natuurlijk,' zegt Loch.

'Nee.' Ze kijken me alle twee aan. 'Derwisj wil dat ik naar huis kom,' lieg ik. 'Ik weet niet waarover het gaat. Misschien is er tijdens het feest iets kostbaars stukgegaan.'

Loch huivert even. 'Balen. Dan zit er niets anders op dan dat Spleenio en ik alleen gaan.' Hij knijpt Bill-E in zijn wang.

'Hou op!' schreeuwt Bill-E uit en hij wrijft over zijn wang. 'Dat doet pijn.'

'Bel de politie maar,' zegt Loch lachend.

Bill-E keert hem zijn rug toe. 'Misschien kun je dan later komen?' vraagt hij aan mij.

'Ik ben bang van niet,' zeg ik zuchtend.

Bill-E kijkt zorgelijk. 'Misschien zeg ik het vandaag dan ook maar af. Kom ik morgen weer.'

'Nee, dat doe je niet,' snauwt Loch. 'Als je nu afhaakt, lig je eruit. Dit is een gezamenlijke onderneming. Als je niet je steentje bijdraagt – en ik weet dat het zware steentjes voor je zijn, jij klein opneukertje – rot dan maar op. We hebben geen behoefte aan klaplopers.'

Bill-E balt zijn vuisten. De razernij kolkt naar de oppervlakte. Ik denk dat hij Loch eindelijk te grazen gaat nemen en in stilte moedig ik hem aan. Misschien dat als Bill-E terugvecht het pesten eindelijk ophoudt en Loch hem als een gelijke gaat behandelen.

Maar dan laat Bill-E zijn blik over Loch glijden, zijn lengte en zijn spieren, en hij kiest het hazenpad. Zijn handen ontspannen zich en hij draait zich om met een zwak 'tot vanmiddag dan'.

Loch buigt zich naar me over en fluistert, hard genoeg zodat Bill-E het kan horen: 'Wat denk je, zou iemand het merken als ik Spleeny meenam naar dat gat en hem liet verdwijnen?'

'Houd je kop, hufter,' snauw ik hem toe en ik loop

kwaad voor hem uit, zonder verder aandacht te besteden aan zijn theatrale snik.

Thuis. Geen Derwisj. Wel een briefje op de keukentafel: ben mijn motor gaan halen. Je hoeft voor mij niets te eten te maken; ben nog niet aan vast voedsel toe.

Verdomme! Waarom kiest Derwisj juist deze paar dagen van mijn leven uit om er voortdurend tussenuit te knijpen! Ik wilde dat ik hem meteen bij thuiskomst met het nieuws om z'n oren had geslagen – dat was die ouwe zuipschuit zijn verdiende loon geweest.

Ik ben te onrustig om op hem te gaan zitten wachten. Liever wat actie dan hier rond te hangen en de tijd proberen te doden met huiswerk en tv. Dus snel iets anders aantrekken, een boterham naar binnen proppen en dan naar het gat om erachter te komen wat Loch en Bill-E van mijn nachtelijke graafmarathon vinden.

Ze zijn volkomen overdonderd. Wanneer ik aankom, staan ze met open mond bij de rand. Hun blik gaat van de rotsblokken en de hopen aarde omlaag het gat in, en dan weer omhoog. Ze houden hun schop slapjes beet en ze zien eruit alsof een enkele scheet ze in de diepte kan doen storten.

'Allemachtig,' roep ik uit en ik hap gespeeld naar adem. 'Jullie hebben hard gewerkt.'

'Dat hebben wij niet gedaan,' zegt Loch verdwaasd.

'Het was zo toen we hier aankwamen,' mompelt Bill-E.

Ik dwing mezelf te fronsen. 'Waar hebben jullie het over?'

'Wij hebben niet gegraven,' zegt Loch en hij komt langzaam weer tot leven. 'We zijn hier nog maar een paar minuten. We troffen het zo aan.'

'Verdraaid nog aan toe, wie... hoe...?' mompelt Bill-E.

We blijven tien minuten over het 'mysterie' praten. De eenvoudigste oplossing, die ik schaamteloos opper, is dat iemand het gat heeft ontdekt nadat wij zijn weggegaan en zelf aan het graven is gegaan. Bill-E en Loch wijzen de mogelijkheid onmiddellijk van de hand – er zijn geen graafsporen te zien in de stukken die erbij zijn gekomen, en ook geen voetsporen, behalve die van ons. (Ik heb vannacht geen sporen van blote voeten achtergelaten. Ik moet wel heel licht hebben gelopen. Op kussentjes... als een wolf.) Trouwens, zo betogen ze, wie gaat er nu in hemelsnaam midden in de nacht staan graven?

'Een aardbeving?' opper ik als alternatief.

Spottend gesnuif. Er zijn hier geen aardbevingen. Trouwens, ook al waren die hier wel, dan nog zou dat geen verklaring zijn voor de aarde en de stenen die rond het gat liggen opgehoopt.

Loch vraagt zich af of het een wild dier kan zijn geweest.

'En aan wat voor soort dier denk je dan?' sniert Bill-E. 'Een trol of een boeman? Of misschien waren het wel elfjes, zoals in het sprookje van de schoenmaker.'

Uiteindelijk komt Bill-E met een theorie die we alle drie bevredigend vinden, in ieder geval zolang we geen geloofwaardigere verklaring hebben. 'Lord Sheftree,' zegt hij. 'Als dit de plek is waar zijn schat begraven ligt, heeft hij de ingang misschien wel beveiligd met boobytraps. Toen we aan het graven waren hebben we ze in werking gezet, maar omdat ze al zo lang begraven liggen, gingen ze niet meteen af. Het duurde een paar uur voordat ze explodeerden, en tegen die tijd zaten wij veilig thuis, een heel eind van de actieradius vandaan.'

'Kweenie,' mompelt Loch, terwijl hij de rotsen om ons heen bestudeert. 'Ze zien eruit alsof ze er gewoon uit zijn getild en niet alsof ze er door een explosie uit zijn geblazen.'

'Misschien was het een katapultmechanisme,' zegt Bill-E, die steeds meer warmloopt voor zijn eigen theorie. 'Hij had al die rotsblokken op een platform gestapeld en op het moment dat de boobytrap afging, zouden ze de lucht in worden geslingerd. En zou iedereen die zich in de buurt bevond verpletterd worden.'

We praten erover door en proberen de exacte werking van de boobytraps te achterhalen, voor het geval er nog meer liggen. Ik zeg dat we voorzichtig moeten zijn en stel voor om af te taaien; we zouden het moeten melden en aan professionals overlaten om het gevaarlijke gat op te blazen. Bill-E en Loch joelen me uit.

'We zullen het rustig aan doen,' zegt Bill-E.

'Voorzichtig,' stemt Loch in.

'Als er nog meer boobytraps liggen, komen die waarschijnlijk ook niet meteen tot ontploffing,' voert Bill-E aan.

'Ik betwijfel het of er nog meer liggen,' zegt Loch. 'Wat zou dat voor zin hebben? Eén is genoeg. Als hij was ontploft, zou die ouwe Sheftree gewoon de menselijke resten hebben opgeruimd en de boobytrap opnieuw hebben ingesteld.'

Uiteindelijk besluiten ze, ondanks de gevaren, door te gaan. Aangezien ze niet over te halen zijn en ik me maar beter niet kan afzonderen, pak ik met tegenzin een schop en met z'n drieën laten we ons in het gat zakken.

Een uur lang werken we stug en angstig door – ik ben bang om gezichten in de rots te zien verschijnen, Bill-E en Loch om het aan de stok te krijgen met de dode Lord Sheftree.

Elke keer dat de bladeren boven onze hoofden ritselen of een bergje aarde het gat in rolt, stoppen we met graven – ik meen het gefluister weer te horen, en Bill-E en Loch het ontstekingsmechanisme van het volgende massavernietigingswapen van Lord Sheftree. Maar langzaam maar zeker raken we gewend aan de geluiden van het bos en schrikken we niet meer bij het minste geringste op.

Bill-E en Loch zijn er nu nog sterker van overtuigd dat we de laatste rustplaats van Lord Sheftrees begraven schat hebben ontdekt. Ik niet. Er hangt magie rond dit gat. Die heeft me vannacht hierheen getrokken. Die heeft het maanbezeten monster waarin ik was veranderd aangeroepen en hierheen gelokt, me tot samenzweerder gemaakt, me gebruikt om de weg vrij te maken om... Om wat?

Ik weet het niet. Ik heb geen flauw benul van waar we ons een weg naartoe aan het graven zijn. Maar ik ben er vrijwel zeker van dat het niet de schat van een rijke vrek is.

Loch en ik werken samen om de ingeklonken aarde rond de grote rotsblokken weg te steken, de stukken steen moeizaam los te wrikken en langs de helling omhoog te rollen en te slepen. Bill-E ruimt het vervolgens op en schept de kleinere stenen, de kiezels en de aarde weg. We zijn een effectief team, behalve dat Loch naarmate hij vermoeider raakt van het harde werken zijn irritatie steeds meer op Bill-E begint af te reageren, door tegen hem te vloeken en hem te treiteren. Eerst negeer ik het nog, maar hij gaat maar door – Spleenio dit, nietsnut dat, dikkerdje zus, eikel zo, en uiteindelijk heb ik er genoeg van.

'Waarom laat je hem niet met rust?' snauw ik na een bijzonder botte opmerking over Bill-E's overleden moeder.

'Ga jij me vertellen wat ik moet doen?' reageert Loch.

Ik ga voor hem staan. 'Misschien wel, ja.'

Loch pakt zijn schop met beide handen beet en heft hem waarschuwend boven zijn hoofd. Ik pak de steel beet en we kijken elkaar dreigend aan. Dan staat Bill-E opeens achter me en fluistert: 'Grijp hem, Grubbs!' Het klinkt zo vlak, zo kwaadaardig, zo niet-Bill-E, dat ik de schop loslaat en me verbijsterd omdraai.

'Wat zei je?'

Bill-E kijkt me verward, maar ook kwaad aan. 'Ik bedoelde... ik wilde gewoon...'

'Ik hoorde hem wel,' gromt Loch. 'Hij zei dat je

me een kopje kleiner moest maken.'

'En wat dan nog?' briest Bill-E terwijl hij om me heen probeert te komen, zodat híj oog in oog met Loch komt te staan.

'Stop,' zeg ik resoluut. Ik leg mijn linkerhand tegen de dichtstbijzijnde rotswand en concentreer me. Na een paar seconden voel ik de vibraties van iets wat heel in de verte klopt. Iets niet-menselijks. 'We moeten allemaal even tot rust komen.'

'Sinds wanneer heb jij het hier voor het zeggen?' blaft Loch.

'We worden gemanipuleerd.'

Hij fronst en ik wil hem vertellen dat er magie aan het werk is die onze stemming beïnvloedt. Maar dan realiseer ik me hoe raar dat moet klinken. 'De grond,' zeg ik in plaats daarvan, snel improviserend. 'Er moeten chemicaliën in de grond zitten. Door Lord Sheftree erin gestopt. Daardoor voelen en zeggen we dingen die we niet zouden moeten voelen en zeggen. Als we nu niet stoppen, vliegen we elkaar zo meteen naar de keel.'

Loch fronst nog dieper, maar dan klaart zijn gezicht op. 'Krijg nou wat,' zegt hij en hij zucht.

'De ouwe gluiperd,' roept Bill-E lachend. 'Chemicaliën om onze stemming te veranderen en ons tegen elkaar op te zetten. Coolio!'

'Ik dacht dat je mijn vijand was,' zegt Loch verwonderd terwijl hij me aanstaart. 'Het gebeurde zo snel, zonder enige waarschuwing. Ik was ervan overtuigd dat je me wilde doden. Die schop...' Hij kijkt omlaag naar het scherpe, grijze blad, laat de schop dan vallen en klimt het gat uit. Bill-E en ik gaan hem achterna. Eenmaal boven zien we Loch aan de rand van het gat zitten. Hij trilt.

'Gaat het?' vraag ik.

'We kunnen maar beter niet doorgaan,' fluistert Loch. 'Je had gelijk. We moeten dit overdragen aan iemand die weet wat hij doet. Chemicaliën... Dat gaat onze pet te boven.'

'Geen denken aan!' protesteert Bill-E. 'We zijn vlak bij ons doel, ik weet het zeker. Je kunt nu niet afhaken. Dat zou waanzin zijn.'

'Maar –' probeert Loch ertegenin te brengen.

'Misschien zijn het geen chemicaliën,' onderbreekt Bill-E hem. 'Misschien zijn we gewoon moe en prikkelbaar. Het is een lange dag geweest, we hebben honger, we hebben hard gewerkt, het is laat... Neem al die dingen bij elkaar en je hebt drie knorrige beren.'

'Het was meer dan knorrigheid,' zegt Loch.

'Oké,' stemt Bill-E met hem in. 'Maar stel dat er inderdaad chemicaliën in de grond zitten. Die zijn er zo'n tijd geleden in gestopt, dat ze allang niet meer zo sterk zijn als toen. Ik durf te wedden dat als we vijftig jaar geleden hadden staan graven, we nu al dood of blind waren geweest. Nu is het effect alleen nog maar dat onze stekels overeind gaan staan. We moeten gewoon even pauzeren, zorgen dat we weer helder worden, en dan weer aan het werk gaan. Als we merken dat we weer geïrriteerd raken, houden we opnieuw hierboven even pauze.'

'Ik weet het niet,' mompel ik. Als Loch er niet was geweest, had ik Bill-E over mijn angstige vermoedens verteld; dat deze plek deel uitmaakt van de wereld der magie. Ik weet zeker dat hij dan naar mijn waarschuwingen zou luisteren. Maar in bijzijn van Loch kan ik het niet over dergelijke dingen hebben. 'Waarom houden we het niet voor gezien voor vandaag? Het wordt al laat. Laten we naar huis gaan en er een nachtje over slapen.'

'Nog even,' dringt Bill-E aan. 'Totdat het donker wordt, zoals gepland. Nu we hier toch zijn, kunnen we net zo goed nog even profiteren van het daglicht.'

'Spleenio heeft gelijk,' zegt Loch. Nu de invloed van het gat is verdwenen, is hij weer zijn oude zelf, vastberaden om zich zo snel mogelijk over zijn angst heen te zetten en de schat in handen te krijgen. 'Laten we doen waar we hier voor gekomen zijn en dan naar huis gaan om uit te rusten. Het kan weken duren voordat we de bodem hebben bereikt. We kunnen niet elke keer dat we een obstakel tegenkomen het in ons broek doen.'

Het zint me niet, maar hun besluit staat vast. En dus pakken we na een korte pauze het gereedschap weer op en laten ons voorzichtig in het gat zakken.

We verwijderen een rotsblok dat nog groter is dan de rest en sjouwen het naar boven. We staan bij de rand van het gat. Zwetend, bevend, onze vingers buigend en strekkend. 'Wat een marteling,' gromt Loch.

'Denk je dat de schat het waard zal zijn?' vraag ik.

'Dat is 'm geraden.'

'Stel dat er niets ligt, dat het alleen maar een gat is?'

Loch glimlacht. 'Dat is niet zo. We zijn iets groots op het spoor. Ik voel het aan mijn water.'

'Je voelt gewoon wat je wilt voelen.'

Loch kijkt me vuil aan. 'Wil jij wel eens je –'

Bill-E gilt.

Loch en ik stormen omlaag het gat in. We zien Bill-E tot aan zijn middel in de aarde, zich vastklampend aan de rotsblokken om hem heen, zijn gezicht in doodsangst vertrokken.

Er zit niets onder me,' krijst hij. 'Mijn benen bungelen in de lucht! Ik val naar beneden! Ik ga vallen! Ik ga val...'

Ik grijp zijn rechterhand. Loch zijn linker.

'We laten je niet vallen!' schreeuw ik.

'Alleen als je er aanleiding toe geeft,' grapt Loch.

'Ik was aan het graven,' brengt Bill-E er met horten en stoten uit en zijn nagels boren zich in mijn vlees. 'Stenen aan het loswoelen. De bodem verdween. Mijn schop viel. Ik hoorde hem naar beneden kletteren – een héél eind. Ik dacht... Ik ben tot hier weggezakt... Het lukte me om de rand beet te pakken. Als dat me niet was gelukt...' Hij begint te huilen.

'Kijk eens naar ons dikkerdje,' joelt Loch verrukt. 'Hij zit te grienen als een baby!'

'Kun je nou één keer in dat stompzinnige leven van je je bek eens houden!' brul ik – en dan betrap ik mezelf. 'De chemicaliën,' zeg ik knarsetandend. 'Loch... Bill-E... rustig aan. Geen uitbarstingen. Geen beledigingen. Relax. Denk aan leuke dingen. Laat het me weten als je je weer gewoon voelt.'

'Hoe kan ik me nou gewoon voelen als ik vast zit in een...' krijst Bill-E.

'Aan leuke dingen denken,' onderbreek ik hem streng. Ik voel het kloppen weer, het komt vanaf de rotsen om ons heen. 'Loch, denk je aan leuke dingen?'

'Ja,' zegt Loch grijnzend. 'Ik stel me het gejammer voor van die baby wanneer we hem laten vallen.'

'*Loch!*'

'Oké,' mort hij en hij sluit zijn ogen. Na een paar seconden klaart de uitdrukking op zijn gezicht op. Hij doet zijn ogen weer open en knikt ten teken dat hij zichzelf weer onder controle heeft. Bill-E is minder beheerst, maar dat is begrijpelijk, gezien de situatie waarin hij zich bevindt.

'Je moet tegen ons praten,' laat ik hem weten. 'We gaan je eruit trekken, maar we willen je geen pijn doen. Zitten er uitstekende stenen, stukken hout, draad... iets waar je je aan kunt bezeren wanneer we je snel omhoog trekken?'

'Ik geloof het niet,' snikt Bill-E. 'Maar het is moeilijk te zeggen. Ik weet het niet.'

'Rustig maar,' zeg ik op sussende toon. 'Het komt allemaal goed. We hebben je beet. Probeer je nu te concentreren en vertel ons hoe we je op de veiligste manier uit deze puinhoop kunnen krijgen.'

Bill-E denkt na en wiebelt wat heen en weer, het onzichtbare gebied rond zijn benen verkennend. Dan slikt hij moeizaam en zegt: 'Ik denk dat jullie me er wel uit kunnen trekken.'

'Mooi zo.' Ik glimlach leugenachtig. 'Loch, ben je er klaar voor?' Hij gromt. 'We doen het eerst rustig aan. Op mijn commando trek je hem zachtjes omhoog. Als ik het zeg stop je met trekken. Begrepen?'

'Je doet maar,' zegt hij schouderophalend.

Ik wil mijn handpalmen droog maken, maar ik denk niet dat Bill-E geduldig blijft hangen als ik hem loslaat. En dus pak ik hem steviger beet, blij vanwege het vuil op mijn handen dat het zweet absorbeert, geef Loch het afgesproken signaal en dan trekken we. Weerstand, maar niet lang. Al snel glijdt Bill-E uit het gat in het gat, hevig bibberend, maar verder ongedeerd. Zodra zijn voeten vrij zijn, geven we nog één harde ruk en daar tuimelt hij over ons heen. Loch en ik vallen op de grond, waar we hijgend en slapjes lachend blijven liggen.

Na ongeveer een minuut komen we tegelijkertijd overeind en kruipen naar voren, nieuwsgierig naar het gat dat Bill-E heeft ontdekt. Het is een inktzwarte afgrond. Het is onmogelijk om er veel van te zien. Er is te weinig licht.

'Wacht,' zegt Bill-E en hij krabbelt het gat uit. Hij is snel weer terug, met op zijn hoofd een honkbalpet met aan weerszijden een zaklampje. 'Hier ben ik gisteravond een halfuur mee bezig geweest,' zegt hij trots. Dan houdt hij een grotere, sterkere zaklantaarn omhoog. 'Deze heb ik ook meegenomen. Ik loop er al de hele dag mee te zeulen. Voor het geval dat.'

'Spleen, je bent een genie,' zegt Loch en Bill-E glimlacht. 'Een vette, mismaakte minkukel, maar ook een genie,' voegt hij eraan toe en de glimlach op Bill-E's gezicht maakt plaats voor een kwade blik.

'Waarom haal je niet een van die twee zaklampen van je pet?' opper ik. 'Dan hebben we allemaal licht.'

'Nee,' zegt Bill-E. 'Ze zijn niet sterk genoeg. Je

hebt er twee nodig, anders zijn ze niets waard.' Hij loopt langs ons heen, terecht zelfvoldaan, en neemt op zijn beurt de leiding. Hij kruipt naar de rand van het gat dat hij heeft gemaakt en knipt de sterkste zaklantaarn aan. Loch en ik komen naast hem liggen en staren omlaag. Het gat verdwijnt onder een flauwe helling in de diepte, zo ver als we kunnen zien, met allemaal uitsteeksels in de rotswand, meer dan genoeg als steun voor handen en voeten.

'Tering!' Loch hapt naar adem. 'Het is immens.'

'Lord Sheftree kan dat onmogelijk hebben gegraven,' merkt Bill-E op. 'Hij heeft hooguit de ingang breder gemaakt om er makkelijker bij te kunnen, maar voor de rest is het een natuurlijk gat.'

'Hoe diep denken jullie dat het is?' vraag ik.

'Er is maar één manier om daar achter te komen,' zegt Bill-E grijnzend.

'Je maakt een geintje!' Loch snuift.

'Hoezo?' Bill-E fronst zijn wenkbrauwen. 'Ga je niet met me mee?'

'We kunnen daar niet in,' mompel ik, me aan Lochs zijde scharend. 'Niet zonder behoorlijke klimschoenen, touwen, van die metalen haken die klimmers gebruiken... dat soort spullen.'

'Het ziet er niet zo moeilijk uit,' werpt Bill-E tegen. 'Ik stel voor dat we het proberen en zien hoe ver we komen. Als het te lastig wordt, komen we later terug met een klimuitrusting.'

'Waarom zouden we het risico lopen?' houd ik vol. 'Laten we tot het weekend wachten, een uitrusting bij elkaar zoeken en dan –'

'Heb je dat soort spullen wel eens gebruikt?' vraagt Loch. 'Schoenen, touwen en zo?'

'Nee, maar –'

'Ik ook niet,' onderbreekt hij me. 'Spleenio?' Bill-E schudt zijn hoofd. 'Als we dat willen doen, moeten we eerst oefenen,' zegt Loch langzaam.

'Dan gaan we toch oefenen. Het betekent wel wat oponthoud, maar –'

'Stel dat er ondertussen iemand langskomt, het gat ziet en het opeist?' valt Loch me in de rede.

Ik kijk hem kwaad aan. 'Ik haat het hoe jij bij de ene mening begint en jezelf vervolgens honderdtachtig graden de andere kant uit kletst.'

Loch lacht. 'Je bent te conservatief, Grubbs. Ik deel je zorg om onze veiligheid, maar Spleenster heeft gelijk. Als we het rustig aan doen, voorzichtig afdalen, stoppen wanneer we het gevoel hebben dat het te gevaarlijk is om door te gaan...'

'En wat als de batterijen leeg raken terwijl we daar beneden zijn?' vraag ik stijfjes. Het is een verloren strijd, maar ik weiger me in alle waardigheid gewonnen te geven.

'Ik heb ze gisteravond vervangen,' zegt Bill-E. 'Ze zijn nieuw.'

'Genie,' mompelt Loch. Dan kijkt hij me grijnzend aan. 'Zó diep kan het niet zijn – die ouwe Sheftree moest ook met zijn schatkisten op en neer kunnen. De helling is niet zo steil. En er zijn meer dan genoeg uitsteeksels als houvast voor je handen en voeten.'

'Laten we het proberen, Grubbs,' fluistert Bill E. 'We zullen geen domme dingen doen. En we stoppen zodra je het te link vindt worden. Jij krijgt de leiding. Beloofd.'

Ik aarzel en kijk hoe laat het is. Ik kijk omhoog naar waar de maan elk moment kan verschijnen. Ik leg mijn rechterhand op de rotsbodem, op zoek naar vibraties, maar ik voel niets. Ik denk aan alle gevaren – en dan aan de schat. Bestaat die wel, heb ik het niet bij het verkeerde eind, is dit wel een magische plek, heb ik me niet gewoon allerlei gevaren ingebeeld…

Ik haal diep adem. Neem impulsief een besluit. Ik gris de grote zaklantaarn uit Bill-E's handen. 'We gaan.'

De grot

We dalen langzaam af en proberen elk uitsteeksel zorgvuldig uit alvorens er met ons volle gewicht op te gaan staan. We klimmen naast elkaar omlaag, ik in het midden, Loch links van me en Bill-E rechts. Loch doet herhaaldelijk zijn beklag dat hij geen eigen zaklantaarn heeft, maar Bill-E weigert een van zijn zaklantaarns af te staan. Ik ben bij hem thuis geweest. Ik weet dat opa en oma Spleen bang zijn voor stroomstoringen en om te voorkomen dat ze in het donker komen te zitten overal zaklantaarns hebben rondslingeren. Bill-E had makkelijk een extra zaklantaarn voor Loch kunnen meenemen. Heeft hij er niet aan gedacht of is hij het moedwillig vergeten? Ik vraag het hem niet.

Het is een beetje benauwd hier beneden, warmer dan ik had gedacht. Ik dacht dat het er muf en bedompt zou zijn, maar er is voldoende frisse lucht. Ademen kost geen moeite.

Een deel van me weet dat dit waanzin is. Het schreeuwt me toe, herinnert me aan wat er de vorige avond is gebeurd, het gezicht, het gefluister, het geklop van vandaag. Het wil dat ik mijn mond opendoe en zeg dat we weer naar boven gaan, dat ik Derwisj op de hoogte breng, dat ik het overlaat aan ervaren speleologen.

Maar een groter deel van me vindt het opwindend. We zijn de eersten in tientallen jaren die hier afdalen. En stel dat Loch en Bill-E het bij het verkeerde eind hebben en dit niet door Lord Sheftree is gebruikt, dan zijn we misschien wel de enigen die deze plek óóit zullen ontdekken. Misschien blijken we een verbluffende geografische vondst te hebben gedaan en wordt die naar ons vernoemd, zodat we op het nieuws komen. Reni vindt het vast geweldig om de vriendin van een beroemdheid te zijn.

Je bent een idioot, snuift het voorzichtige deel in me vol afkeer.

'Kop dicht,' grom ik terug.

Al snel heb ik alle gevoel van tijd verloren. Hoelang zijn we hier al beneden, tien minuten? Twintig? De wijzers van mijn horloge geven licht en ik zou het kunnen controleren. Maar ik ga hier niet staan klooien in het donker, mijn mouw opstropen, vooroverbuigen om te kunnen kijken. Ik houd mijn beide handen op de rotswand en concentreer me met al mijn zintuigen op de afdaling.

Ik doe het voorzichtig aan, telkens één uitsteeksel opschuivend. Voet-hand-voet-hand-voet-hand-voet. Bill-E en Loch doen hetzelfde. We praten niet met elkaar. Mijn zaklantaarn hangt aan een riempje aan mijn rechterpols. Het licht weerkaatst tegen de rotswand. Ik zou moeten stilhouden, me omkeren, achteroverleunen en de zaklantaarn omlaag moeten richten om te kunnen zien wat zich onder ons be-

vindt. Maar dat ga ik niet doen. Ik neem geen risico. Stel je voor dat ik mijn evenwicht verlies... uit-
glijd... in de duisternis stort...

Voet-hand-voet-hand-voet-hand-voet-ha-

Ik raak de bodem. Of een grote overhangende
rots. Dat kan ik nu nog niet zeggen. 'Wacht,' zeg ik
zacht tegen de anderen, die zich iets boven me bevinden. 'Ik wil even voelen. Ik denk...' Ik strek een
voet opzij. Nog meer rots. Ik tik ertegenaan. Stevig.
Voorzichtig laat ik mijn andere voet zakken, terwijl
ik stevig blijf vasthouden aan de rotswand. Langzaam maar zeker verplaats ik mijn gewicht naar beide voeten, laat ik mijn handen los en dan sta ik zonder houvast op de rotsbodem. Hij houdt me en mijn
maag ontspant zich.

Ik pak mijn zaklantaarn beet, schijn om me heen
en hap naar adem.

Een grot. Niet de grootste waar ik ooit in ben geweest, maar toch niet kinderachtig. Een heleboel
stalactieten en stalagmieten. Rechts van me een waterval. Ik had het geluid van water al eerder moeten
horen, maar het werd overstemd door mijn zware
ademhaling en mijn hart dat tekeerging.

'Grubbs,' sist Loch. 'Is alles in orde? Wat zie je?'

'Ik ben oké,' fluister ik, en dan op normale toon:
'Het is een grot.' Ik schijn op de rotsen rond mijn
voeten, om er zeker van te zijn dat ik de bodem heb
bereikt. Ik zie de schop liggen die Bill-E heeft laten
vallen. 'Het is in orde,' laat ik mijn vrienden weten.
'Jullie kunnen je laten zakken.'

Ze maken zich los van de rotswand en komen
naast me staan. Het licht van Bill-E's zaklantaarns

vermengt zich met dat van de mijne en we kijken vol ontzag om ons heen.

De rotsformaties zijn prachtig, zo mooi heb ik ze zelden gezien. Het water druipt traag van de stalactieten omlaag en dus is het een actieve grot, nog steeds in wording. Ik herinner me de lessen van een paar schoolreisjes naar grotten. Het kan duizenden jaren duren voordat zo'n punt is gevormd. En nog eens duizend jaar om hem van vorm te laten veranderen. Stel dat ik nog honderd jaar leefde en vlak voor mijn dood hier terugkwam, dan zou deze grot er waarschijnlijk nog precies hetzelfde uitzien.

'Ongelooflijk,' zeg ik met een zucht. Ik doe een stap naar achter, leg mijn hoofd in mijn nek en kijk omhoog naar het plafond dat zich hoog boven ons uitstrekte. 'Hoe is het mogelijk dat deze grot hier al die tijd heeft gelegen... verborgen... zonder dat iemand het wist?'

'De wereld is vol met dit soort plekken,' antwoordt Bill-E, ook al was het niet echt een vraag. 'We krijgen er maar een fractie van te zien. Er worden de hele tijd nieuwe grotten, bergen, rivieren ontdekt.'

'Oké,' zegt Loch op luide toon die de sfeer verbreekt. 'Het is een prachtige grot, heel mooi, schitterend, blablabla. Maar ik zie geen schat.'

'Boer!' snauwt Bill-E hem toe. 'Dit ís de schat. Voor geen goud ter wereld zou je zo'n grot kunnen kopen.'

'Dat zou ik ook niet willen,' zegt Loch chagrijnig. 'Wat heb je aan een vieze klamme grot? Ik neem dat goud wel.' Hij kijkt om zich heen en spuugt op de grond. 'Als dat er tenminste is.'

Bill-E draait zich om, al zijn stekels overeind.

Ik kom snel tussenbeide. 'Hij heeft gelijk, Bill-E. Niet over de grot en dat die niks waard zou zijn – hij is ongelooflijk mooi, en onbetaalbaar. Maar we waren op zoek naar een ander soort schat. We moeten kijken of die er is. Als die er niet is, is dat niet erg – dan hebben we in ieder geval de grot gevonden. Maar als er ook een schat is, des te beter.'

Bill-E ontspant zich. 'Goed, laten we een kijkje nemen. Zo groot is die grot niet. Als er een schat ligt, moet het niet zo moeilijk zijn om hem te vinden.'

We komen in beweging, drie onderzoekers in wonderland. Zelfs Loch lijkt onder de indruk, ook al is hij niet zo ondersteboven van de schoonheid van de grot als Bill-E en ik. We gaan met onze handen langs de oprijzende pilaren, het vocht loopt langs onze vingers. Op sommige plaatsen zijn de stalagmieten en stalactieten samengegroeid tot een immense formatie die de vloer en het plafond met elkaar verbindt. Een ervan is breder dan wij drieën bij elkaar, een monster dat eruitziet als een stel massieve schoorstenen.

'Ik ben nog nooit zonder gids in een grot geweest, of met zo'n klein groepje,' zegt Bill-E na een tijdje. 'Het voelt raar. Stil. Vredig.'

'Hé,' zegt Loch grijnzend. 'Weet je wat ik altijd het leukste moment vind als ik in een grot ben? Wanneer ze het licht uitdoen, zodat je kunt zien hoe het er in het pikdonker uitziet.'

'Geen denken aan!' zeg ik snel.

'O nee,' valt Bill-E me bij.

'Wat is er aan de hand, dames?' vraagt Loch lachend. 'Bang voor het donker?'

Bill-E en ik kijken elkaar aan. We willen geen van beiden onze zaklantaarn uitdoen. Maar de zelfgenoegzame grijns van Loch overtuigt ons. Als we hem niet zijn zin geven, zullen we tot in de eeuwigheid voor lafaards worden uitgemaakt.

'Vooruit,' zeg ik tegen Bill-E. 'Jij eerst.'

Bill-E slikt moeizaam en knipt eerst de ene zaklamp uit, en dan de andere.

De grot ziet er nu veel kleiner uit, dreigender. Het is waarschijnlijk verbeelding, maar ik meen in het donker de schaduwen te kunnen voelen – klaar om in de duisternis hun volle gedaante aan te nemen zodat ze ons onzichtbaar kunnen bespringen en vastgrijpen. Mijn vingers blijven boven het knopje hangen. Ik word verscheurd tussen mijn angst om als lafaard te worden gezien en om ten prooi te vallen aan magische kwaadaardige krachten.

Voordat ik tot een besluit kan komen, hakt Loch de knoop voor me door.

'Wat een mietje,' zegt hij honend. Hij steekt zijn hand uit, duwt mijn vinger hard op het knopje en schuift het met een ruk omlaag. Het licht gaat uit.

Mijn hart gaat wild tekeer. Mijn ademhaling stokt. Het lijkt alsof de wanden op me af komen zetten. In paniek probeer ik de zaklantaarn weer aan te doen, maar Lochs hardhandige aanpak heeft mijn vinger gevoelloos gemaakt. Ik kan het knopje niet vinden! Ik krijg het licht niet aan! De schaduwen komen! Binnen een paar seconden zullen ze zich op ons storten, een en al klauw, scherpe tanden en –

Bill-E doet een van zijn zaklantaarns aan. Hij grinnikt zwakjes. 'Dat was cool.'

Ik kijk om me heen – niets te zien. De grot ziet er precies zo uit als daarvoor. Niks geen gevaar, ik heb het me verbeeld. Ik dwing mezelf tot een lachje, doe mijn zaklantaarn aan en loop dan met Bill-E en Loch verder de grot in. We gaan door met zoeken.

Na een halfuur heb ik het niet zo heel warm meer. Het heeft niets met de temperatuur in de grot te maken – het is hier beneden warmer dan het boven was – maar alles met de tijd. Ik kijk op mijn horloge ter bevestiging van wat ik al wist: de avond is gevallen. Hoog boven ons, verscholen achter de lagen rots en aarde, komt de maan op en vanavond is die zo vol als ze maar kan zijn.

Ik word weer bekropen door hetzelfde misselijk-makende gevoel als gisteravond en de avond daarvoor, maar dan sterker, meedogenloos. In horror-films zie je soms dat mensen pas in een weerwolf veranderen op het moment dat ze de maan zien – als ze opgesloten zitten of wanneer de maan schuil-gaat achter de wolken gebeurt er niets. Maar dat is flauwekul. De maan is een machtige heerseres. Geen muur of bedekking kan haar kwaadaardige betove-ring tegenhouden.

Bill-E en Loch zijn aan het kibbelen over de schat en of die nu wel of niet hier begraven ligt. Loch denkt van niet – we zijn de grot nu een paar keer rond ge-lopen en hebben niets gevonden – maar Bill-E houdt vol van wel.

'Denk je nou echt dat Lord Sheftree hem hier op

de grond zou leggen zodat de eerste de beste die hier komt erover struikelt en ermee vandoor kan gaan?' is zijn redenering. 'Hij heeft er vast rekening mee gehouden dat iemand de grot zou vinden, hetzij door te graven zoals wij hebben gedaan, hetzij via een andere ingang waarvan hij het bestaan niet kende. Hij heeft de schat verborgen, ergens uit het zicht, zodat iemand die hier toevallig terechtkwam hem alleen zou vinden als hij er doelbewust naar op zoek ging.'

'En waar zou dat dan moeten zijn, wijs… kneus? We hebben overal gekeken. Tenzij het een onzichtbare schat is denk ik niet dat –'

'We hebben nergens gekeken,' schreeuwt Bill-E en zijn stem echoot blikkerig door de grot. 'De grote stalagmieten kunnen wel hol zijn,' zegt hij, iets rustiger nu. 'Misschien ligt de schat in een daarvan begraven.'

'Daar zijn er ontzettend veel van,' zegt Loch twijfelend.

'We hebben de tijd,' zegt Bill-E glimlachend. 'En misschien ligt de schat niet hier beneden.' Hij wijst naar de wanden. 'Daar zijn richels, gaten en tunnels, misschien wel kleinere grotten – en wie weet grótere grotten. Dit zou slechts de ingang kunnen zijn van een heel stelsel van enorme, onderling verbonden grotten. We hebben nog een heleboel te onderzoeken. Dit is nog maar het begin.'

'Laten we het een andere keer doen,' mompel ik. Mijn hoofd bonkt en het voelt alsof ik opgesloten zit in een ring van vuur. 'Het is al avond. Tijd om naar huis te gaan.'

'Nog niet,' bijt Loch me toe. 'Ik hoef pas over een paar uur thuis te zijn.'

'Bill-E...,' zeg ik kreunend.

'Nou, opa en oma verwachten me elk moment thuis,' zegt hij. 'Maar het is niet zo dat ik nooit te laat ben. Ik zal zeggen dat ik bij jou was en dat we de tijd vergeten zijn – wat niet helemaal gelogen is.'

Ik heb zin om hun eens flink de waarheid te zeggen. De stomkoppen! Voelen ze het dan niet? Zelfs door mijn misselijkheid heen, met hersenen die door een knallende koppijn tot pulp worden gebeukt, kan ik het gevaar voelen. Het geklop is terug, sterker dan ooit. We moeten er nu vandoor, snel, voordat...

Of verbeeld ik me het gevaar, zoals ik me de monsters in het donker verbeeldde? Misschien hoeven we alleen maar bang te zijn voor mijn misselijkheid en is dit gewoon een prachtige, spookachtige grot.

Maar stel dat ik hier in een weerwolf verander, dan is dat voor twee mensen reden genoeg om zich ernstig zorgen te maken. Opgesloten onder de grond met een bovennatuurlijk sterk wolfbeest zouden Bill-E en Loch het nog geen vijf minuten overleven.

'Luister,' bijt ik ze toe, 'we moeten ervandoor. Morgen komen we terug om de zaak grondig te inspecteren. Het is al donker – het is avond. We hadden gezegd dat we zouden stoppen zodra de maan opkwam.' Ik stop met praten, zet mijn gedachten op een rijtje en probeer een andere benadering. 'We moeten voorkomen dat we de aandacht trekken. Als we laat thuiskomen, onder de modder en het stof, dan gaan de mensen denken. Stel dat ze vragen gaan stellen...'

'Daar zit wel wat in,' geeft Bill-E toe. 'Vergeleken bij mijn opa en oma zijn Sherlock Holmes en Watson een stelletje amateurs. We moeten op safe spelen, zo normaal mogelijk doen, vooral als we van plan zijn hier vaak terug te komen.'

'Oké,' verzucht Loch. 'Nog één poging dan voordat we gaan.' Hij wijst naar de waterval, die vijftien meter boven de bodem van de grot uit de rotswand gutst. 'Daarboven, die grote gaten. We kunnen er vrij makkelijk naartoe klimmen. Ik wil daar een kijkje gaan nemen. En dan gaan we.'

'Ik weet het niet,' zegt Bill-E. 'Het is behoorlijk hoog en het is er steiler dan de rotswand waarlangs we omlaag zijn geklommen.'

'Wat betekent zo'n wandje nou voor drie doorgewinterde onderzoekers als wij?' zegt Loch lachend. 'Het duurt niet lang. En als de schat er ligt, kunnen we helemaal high van de overwinning naar huis.'

'Grubbs?' zegt Bill-E vragend.

Ik schud heftig mijn hoofd. Volgens mij ga ik overgeven. Ik sta machteloos te trillen. Klimmen is het laatste waar ik aan moet denken.

'Gaat het wel goed met je?' vraagt Bill-E, terwijl hij zijn twee zaklantaarns op me richt.

'Een of ander virus,' breng ik er met moeite uit. 'Ik heb er al een paar dagen last van.'

'Misschien moeten we hem naar huis brengen,' zegt Bill-E.

'Ja hoor,' gromt Loch. 'Zodra we boven die waterval hebben gekeken.' Hij geeft Bill-E een harde klap op zijn rug. 'Kom op, Spleenario – wie het laatst boven is, is een bange schijterd!'

Zijn list werkt. Bill-E vergeet mij. Ze rennen naar de wand en beginnen te klimmen. Loch lacht pesterig en spoort Bill-E met grove opmerkingen aan. Ik draai me om, maar laat mijn zaklantaarn op de wand schijnen, zodat ze wat extra licht hebben. Ik strompel bij de rotswand vandaan en laat me op mijn knieën zakken. Ik leg mijn hoofd op een van de kleinere stalagmieten en kreun zacht. Ik voel me als een lijk dat in een magnetron is gelegd om te ontdooien – voor de helft bevroren, de andere helft kokendheet. Ik probeer mijn ademhaling onder controle te krijgen, mijn gedachten tot rust te brengen, maar mijn hoofd wordt overspoeld door wilde, dierlijke beelden: rennen, jagen, scheuren, klauwen, bloed.

Ik staar naar mijn vingers – ze krullen naar binnen. Het lukt me niet om ze te strekken, hoe hard ik ook mijn best doe. Ik ga in mezelf op zoek naar magische warmte, de energiebron waar ik de afgelopen achtenveertig uur uit heb geput, maar op dit moment lijkt hij er niet voor me te zijn. Misschien heeft de grot er iets mee te maken. Het is ook goed mogelijk dat ik al mijn vechtlust kwijt ben. Al mijn weerstand. Al mijn geluk.

'Niet... om... draaien...' grom ik. Ik denk aan Loch en Bill-E, aan wat ik hen zou kunnen aandoen. Ik vervloek mezelf om mijn laksheid, dat ik niet naar Derwisj ben gegaan toen het kon, dat ik het zo ver heb laten komen. Ik zie nu in dat het angst was, doodgewoon angst. Het maakte niet uit hoe Derwisj eraan toe was, ik had het hem meteen moeten vertellen toen hij thuiskwam. Ik heb het voor me gehouden omdat ik bang was voor zijn reactie. Ik hoopte dat de betovering van de maan voorbij zou gaan, dat ik gewoon ziek was, dat ik me de innerlijke strijd gewoon had verbeeld. Het was dezelfde angst als die me ervan had weerhouden om meer over magie te leren. Grubbs Grady – nationale lafaard. En nu gaan Bill-E en Loch de prijs betalen voor mijn lafheid.

Ik probeer een waarschuwing te schreeuwen, ze te laten weten dat ze boven moeten blijven zodat ik er niet bij kan. Maar mijn keel weigert dienst. Mijn stembanden trekken samen, worden dikker en snijden de luchttoevoer af. Wolven kunnen niet praten, dus ze hebben waarschijnlijk ook niet alle keelspieren nodig die mensen hebben.

Ik til mijn hoofd van de stalagmiet, met de bedoeling ervandoor te gaan, te proberen het gat uit te komen, voordat ik verander. Zorgen dat ik zo ver mogelijk uit de buurt van mijn vrienden kom.

Maar dan zie ik het gezicht weer. Het bevindt zich pal voor me. Het stulpt uit de stalagmiet, alsof het is uitgehouwen in de rots. Het gezicht van een meisje. Het lijkt op dat van Gret, zoals ik al eerder had opgemerkt, maar ze is het niet. Anders. Jonger. Donkerder haar. Kleiner. Ogen en lippen gesloten. Als een doodsmasker.

Ik hoor het gefluister, sterker dan de vorige avond, dwingender. Sommige woorden breken erdoorheen, maar het zijn geen woorden die ik ken. Een vreemde taal. Rauw en snel.

Ik staar naar het gezicht, luister naar het gefluister, als aan de grond genageld. Ik voel mezelf veranderen, totdat er plotseling –

Een gil. Achter me. Bij de waterval.

Ik draai me om en er klinkt een tweede gil. En dan een luide bons.

En dan niets meer.

Ik grijp de zaklantaarn beet en ren de grot door. De lykantrope angsten zijn voorlopig vergeten, de gedachten aan het gezicht en het geluid van het gefluister verdrongen. Er ligt een gedaante op de grond, bewegingloos. Dat is het enige waar ik me nu zorgen om maak.

Ik kom bij het lichaam en draai het voorzichtig om. Het is Loch. Zijn gezicht is asgrauw. Zijn oogleden trillen. Zijn mond gaat zachtjes open en dicht.

'Loch?' mompel ik. Ik til zijn hoofd op en probeer te zien hoe slecht hij eraan toe is. Op zijn achterhoofd voel ik iets nats en kleverigs. Ik hoef niet te kijken om te weten dat het bloed is.

Schrapende geluiden. Bill-E komt met een klap op de grond neer, op zijn voeten. Hij is vanaf twee of drie meter hoogte naar beneden gesprongen. 'Is alles goed met hem?' schreeuwt hij hijgend.

'Ik weet het niet. Wat is gebeurd?'

Bill-E slikt moeizaam, knielt neer en staart naar Lochs hoofd en mijn bebloede handen. 'Hij is gevallen,' zegt Bill-E met krakende stem.

Ik kan hem bijna niet verstaan, het gefluister klinkt luider dan ooit en de woorden volgen elkaar snel en heftig op.

'We waren aan het klimmen. Hij gleed uit. Ik... ik probeerde hem vast te pakken. Hij was niet ver weg. Ik strekte mijn arm uit. Maar hij viel. Ik kon hem niet tegenhouden. Ik probeerde het, maar ik kon hem niet...'

'Dat is maar goed ook,' zeg ik troostend. 'Hij zou je hebben meegesleurd. Doe je jas uit.' Bill-E gaapt me aan. 'Voor onder zijn hoofd.'

Bill-E wurmt zich uit zijn jas en rolt hem op. Terwijl ik Lochs hoofd omhoog houd, legt hij de jas eronder. Dan laat ik Lochs hoofd langzaam zakken. Zijn ogen zijn nog steeds gesloten. Zijn ademhaling is onregelmatig. Dit is niet goed.

'Ik zei nog dat hij niet naar boven moest klimmen,' zegt Bill-E hol. Hij huilt. 'Ik heb hem gewaarschuwd. Maar hij wilde niet luisteren. Hij dacht dat hij het beter wist.'

'Stil maar.' Ik ben kalmer dan mijn broer. Ik heb ergere dingen gezien. Ik schrik niet meer van bloed. 'Een van ons moet hulp gaan halen. De ander blijft hier, bij Loch, om op hem te letten.'

'Ik ga wel,' zegt Bill-E snel. 'Alsjeblieft, Grubbs, ik wil hier niet blijven. Niet in deze grot. Het is hier te donker. Laat me alsjeblieft –'

'Het is in orde,' zeg ik sussend. 'Ga jij maar. Ga op zoek naar Derwisj. Vertel hem wat er is gebeurd. Hij weet wel raad. Maar haast je, Bill-E. Schiet op!'

Bill-E knikt, komt moeizaam overeind, staart naar Lochs gezicht, opent zijn mond om iets te zeggen en rent dan naar de uitgang. Ik hoor hem omhoog klauteren – nauwelijks boven het geluid van het gefluister uit. Dan richt ik mijn aandacht op Loch en de steeds groter wordende donkere vlek onder zijn hoofd en de met bloed doorweekte jas van Bill-E.

Ik praat tegen Loch. Allerlei onzin – over school, de schat, vakantie, meisjes, worstelen. Ik heb mijn trui en jas over hem heen gelegd. Ik moet hem warm houden.

Zijn ademhaling gaat met horten en stoten. Zijn oogleden trillen niet meer. Zijn hart klopt onregelmatig. Ik blijf praten en over zijn armen en borst wrijven, maar ik heb geen idee of het iets uithaalt.

De misselijkheid zit er nog steeds. Het voelt alsof mijn hoofd elk moment uit elkaar kan barsten. Op sommige momenten komen mijn woorden er grommend uit en krommen mijn vingers zich terwijl ik over Lochs lichaam wrijf, zodat ze in zijn koude, klamme vlees verdwijnen.

Ik verzet me. Ik ga vanbinnen op zoek naar de warmte, energie, magie – wat dan ook. Ik mag nu niet veranderen, niet voordat Derwisj er is, niet voordat Loch veilig en wel in een ambulance op weg is naar het ziekenhuis.

'Ik ga niet veranderen,' grom ik en ik sla met mijn vlakke hand op mijn wangen. 'Ik ben geen wolf. Ik kan mezelf bedwingen. Ik laat me niet door de maan –'

Er gaat een schok door Loch heen. Zijn ademhaling stokt. Ik geef hem een harde stomp op zijn borst – en dan herinner ik me de EHBO-lessen op school. Ik open zijn mond, duw stevig op zijn borstkas, laat los en tel. Een, twee, drie, vier. Ik duw en tel opnieuw. Nog een keer. Ik plaats mijn lippen op die van Loch. Ik adem uit, zodat zijn wangen opbollen. Ik kom overeind. Duwen, twee, drie vier. Duwen, twee, drie, vier. Duwen, twee, drie, vier. Mond-op-mondbeademing.

Ik probeer me te herinneren of ik het goed doe. Was het drie keer duwen op de borstkas, of vier, of vijf? Moest je de lucht stevig de keel in blazen of –

Loch kucht en begint weer te ademen.

Ik laat me achterover zakken en huil van opluchting en angst. Dat was op het nippertje. Dit kan niet waar zijn. We waren een schat aan het zoeken. Een beetje aan het dollen. Loch was Bill-E aan het pesten. Alles was normaal. Dan kun je je niet opeens in een situatie als deze bevinden, oog in oog met de dood.

Alleen weet ik uit ervaring dat dat wel degelijk kan.

Trouwens, het was niet allemaal normaal: het gezicht, het gefluister, het kloppen, het gevoel dat er gevaar dreigde. Ik had krachtiger moeten optreden. Ze de grot uit moeten zetten. Ik had mijn poot stijf moeten houden en ze naar huis moeten sturen.

De misselijkheid wordt erger.

Het geluid van de fluisterende stemmen wordt sterker.

Lochs bloed blijft stromen.

Ik ben nog steeds aan het praten. Ik zeg tegen Loch dat hij voor Reni in leven moet blijven. 'Als jij doodgaat, zal ze jarenlang een wrak zijn,' snik ik. 'Geloof me maar, ik weet wat het met je doet om een zus te verliezen. Je kan haar niet achterlaten, Loch. Ze heeft je nodig.'

Het lijkt wel uren geleden dat Bill-E is weggegaan.

Een paar minuten geleden stopte Loch opnieuw met ademhalen. Ik heb hem gereanimeerd, maar het duurde langer dan de eerste keer. Daarna was ik in tranen, ik dacht dat ik hem kwijt was.

Waar blijven ze? Verdomme, ze hadden er al moeten zijn. Begrijpen ze dan niet hoe hachelijk de situatie is, dat Loch in levensgevaar verkeert? Ik kan hem niet eeuwig in leven houden, niet in m'n eentje. Als ze niet –

Loch stopt weer met ademen. Ik vloek en begin voor de derde keer op zijn borst te duwen en hem te beademen. Het beest in me wil de lucht naar binnen zuigen in plaats van die in Lochs mond te blazen. Hij wil het leven uit Loch opzuigen, zich voeden met het bloed dat zich rond zijn hoofd en schouders verspreidt, een teug nemen van die afschuwelijke poel, die dof glinstert in het flauwe licht van de zaklantaarn. Stel dat ik mijn waakzaamheid zou laten verslappen, heel even maar, dan weet ik niet wat hij – wat ík – zou doen.

Het gefluister zwelt aan. Het is alsof er tegen me geschreeuwd wordt. Ik wil terugschreeuwen, maar ik heb al mijn adem nodig voor Loch.

Duwen, twee, drie vier. Duwen, twee, drie, vier. Mond-op-mondbeademing.

Er gebeurt niets. Ik raak niet in paniek. De vorige keer ging het ook zo. Ik moet gewoon doorgaan, kalm blijven, volhouden. Uiteindelijk zal hij weer gaan ademen.

Duwen, twee, drie, vier. Duwen, twee, drie, vier. Duwen...

Het werkt niet. Hoe hard ik ook duw en beadem,

Loch reageert niet. Zijn gezicht heeft zich gesloten. Zijn longen bewegen niet. Zijn hart is stil.

Driemaal is scheepsrecht gaat er cynisch door me heen.

'Nee,' fluister ik. 'Dit pik ik niet. Hij kan niet... Néé!'

Ik til mijn handen op, met de bedoeling opnieuw te duwen, harder, woester. Maar iets in de uitdrukking op Lochs gezicht houdt me tegen. Hij ziet er vredig uit, kalmer dan ik hem ooit in zijn leven heb gezien. Ik kijk naar hem en weet met absolute, afschuwelijke zekerheid dat hij verloren is. Ik kan duwen en beademen totdat ik een ons weeg, maar het maakt geen zier meer uit.

Loch Gossel is dood.

Ik stommel rond in de grot. Het gefluister is oorverdovend. De tranen lopen over mijn wangen. De wolf in me huilt om te worden bevrijd. Loch dood. Ik mompel: 'Dit kan niet waar zijn. Dit kan niet waar zijn. Dit kan niet –'

Met mijn rechtervoet stoot ik tegen een grote steen of een kleine stalagmiet. Ik val plat op mijn gezicht. Terwijl ik overeind krabbel, vormt zich in de rotsbodem voor me het gezicht van een meisje. De uitdrukking op haar gezicht is dezelfde als die van Loch. Vol afgrijzen staar ik naar het gezicht. Zo zal Loch er tot in de eeuwigheid uitzien, of in ieder geval totdat zijn lichaam is weggerot. Wezenloos, levenloos, voor altijd stil, voor altijd sereen, voor altijd –'

De ogen van het meisje schieten open. Haar lippen gaan uiteen. Ze schreeuwt naar me, woorden die ik niet begrijp.

Ik geef een gil en gooi mijn hoofd in mijn nek. Ik gil nog een keer. Halverwege verandert mijn gil in gehuil. Met veel moeite lukt het me het gehuil te onderdrukken. Dan richt ik mijn blik op het gezicht in de rotsbodem. 'Nee!' brul ik en ik druk mijn handen hard tegen de zijkanten van mijn hoofd. 'NEE!'

Diep vanbinnen zwelt er iets aan. Een kracht die ik niet meer ten volle heb gevoeld sinds mijn gevecht met Lord Loss en zijn trawanten in Slagtenstein. Ik sluit mijn ogen en voel de energie naar buiten schieten. Het gegil klinkt steeds hoger. Het voelt alsof ik boven de grond zweef. Als ik mijn ogen opendoe, kom ik vast tot de ontdekking dat ik inderdaad zweef. Ik laat het gegil aanzwellen, het voelt alsof mijn stembanden elk moment kunnen springen, totdat...

Een geluid als een kanonschot. En dan plotseling stilte. Het gegil sterft weg. Mijn hoofd smakt naar voren. Ik stort neer. Mijn handen maken zich los van de zijkanten van mijn hoofd om mijn gezicht te beschermen.

Wanneer ik hijgend overeind kom, stromen de tranen over mijn wangen. Maar het gefluister is gestopt. Ik tuur naar de plek op de grond. Het gezicht van het meisje is verdwenen. En ik voel me niet meer misselijk – alleen nog maar klein, eenzaam en bang.

Ik sta op en schijn met de zaklantaarn om me heen om te kijken waar het geluid van het kanonschot vandaan kwam. Binnen een paar seconden zie ik het – er zit een grote scheur in een van de rotswanden, vlak bij de waterval, die er eerst niet was. Heb ik de rots met mijn magische gegil gespleten, of is het toeval en is de scheur ontstaan door een luchtstroming in de grot of de verandering van temperatuur? Ik weet het niet. Op dit moment kan het me ook niet schelen.

Ik strompel naar Loch toe en kniel naast zijn levenloze lichaam neer. Het is niet voor te stellen dat hij nooit meer zal bewegen, nooit meer zal lachen of worstelen. Je denkt dat je vrienden nooit zullen doodgaan, dat alle mensen die je kent en om wie je geeft voor eeuwig en altijd bij je zullen blijven. En dan zet de wereld je voor gek, zo snel, zo simpel, dat je je afvraagt of je vrienden en familie ooit nog één enkele dag heelhuids zullen doorkomen.

Ik wil hem terughalen. Ik wil hem door elkaar schudden, schoppen, hem volpompen met magie, hem weer laten ademen, hem weer laten leven. Het zou niet moeilijk moeten zijn, net zoals een afgeslagen motor of een gecrashte computer weer aan de praat krijgen. Er zouden regels moeten zijn, instructies, dingen die je kunt doen. Maar die zijn er niet. Als het om mensen gaat is dood ook echt dood, over en uit, en je bent een dwaas als je denkt dat het anders is.

Huilend buig ik me over naar Loch om zijn lege omhulsel te omhelzen en hem te laten weten hoe oneerlijk dit is, wat een goede vriend hij was, dat hij niet dood zou mogen zijn, hoe graag ik wil dat hij leeft, hoe bang ik ben. Pas op het moment dat ik zijn schouders beetpak en hem optil, zijn hoofd tegen mijn borst druk, realiseer ik het me – zijn hoofd, de jas en het gebied rond zijn schouders... alles is droog.

Ik ben zo verward dat ik niet meteen doorheb waarom dat zo vreemd is, waarom het bij me op-komt dat er iets niet klopt. Ik wil het net naast me neerleggen, uit mijn gedachten bannen, wanneer de betekenis ervan tot me doordringt. Verbijsterd, vol ongeloof kijk ik nog een keer. En dan, omdat ik er nog steeds niets van snap, schreeuw ik het uit, in de hoop het antwoord dichterbij te brengen door de vraag een stem te geven.

'*Waar is verdomme al dat bloed gebleven?*'

Deel 2

Juni

De belofte

Met een bijna religieus ontzag komt Derwisj de grot in. Een volle minuut lang kijkt hij zelfs niet naar de plek waar ik over Loch heen gebogen zit. Hij wordt volledig in beslag genomen door de wanden, het plafond, de rotsformaties, de waterval.

Dan geeft Bill-E hem zachtjes een duwtje en mompelt: 'Daar.'

Derwisj ontwaakt met een schok uit zijn overpeinzingen en loopt naar me toe. 'Billy heeft me verteld wat er is gebeurd,' zegt hij wanneer hij nog een paar meter van me verwijderd is. 'Hoe is het met hem?'

'Prima...' zeg ik en er verschijnt een glimlach op Derwisj' gezicht '... voor een dode.' De glimlach verdwijnt. Hij houdt zijn pas in. Achter hem legt Bill-E zijn hand voor zijn mond en er klinkt een gesmoorde snik of kreet.

'Weet je het zeker?' vraagt Derwisj zacht.

'Kijk zelf maar,' zeg ik hol. 'Bewijs maar dat ik ongelijk heb.' Mijn gezicht vertrekt. '*Alsjeblieft.*'

Derwisj knielt neer en duwt me zachtjes weg. Hij onderzoekt Loch. Hij trekt zijn oogleden omhoog. Legt zijn oor op de borstkas van de dode worstelaar. Past dezelfde reanimatietrucs toe als ik al heb geprobeerd. Ik vertel hem niet dat hij zijn tijd verdoet. Laat hij er zelf maar achter komen.

Uiteindelijk komt hij overeind, verdrietig, maar ook bezorgd. Hij kijkt naar me. Dan naar Bill-E. 'Vertel me nog eens wat er precies is gebeurd.'

'Hij is uitgegleden,' kreunt Bill-E. 'Ik heb geprobeerd hem beet te pakken, maar ik kon er niet bij.'

'Er was niemand anders in de grot?' vraagt Derwisj scherp. Hij kijkt me aan en gaat met zijn tong langs zijn lippen. 'Níéts anders?'

'Nee,' jammert Bill-E.

'Nee,' fluister ik.

'Weet je het zeker?' vraagt Derwisj met gedempte stem, dit keer alleen aan mij. 'Het is belangrijk. Waren jullie alleen? Jullie drieën? Weet je het heel zeker?'

Ik knik langzaam, verward.

'Ik heb geprobeerd hem te redden,' snikt Bill-E. 'Maar hij was te groot. En ook al had ik hem kunnen beetpakken, dan had hij me gewoon met zich meegesleurd, ja toch, Grubbs? Het was niet mijn schuld. Alsjeblieft, Derwisj, zeg niet dat het mijn schuld was.'

'Natuurlijk was het niet jouw schuld,' zegt Derwisj zuchtend. 'Het was een ongeluk.' Hij wrijft bezorgd over zijn kin. Hij staat op, kijkt om zich heen, werpt een blik op de waterval en de plek waar Loch naar beneden is gevallen. De scheur valt hem niet op, hij heeft de rotswand niet gezien voordat ik huilde en de rots openspleet, en dus denkt hij dat het een natuurlijk gevormde spleet is.

'Kun je iets doen?' vraag ik. 'Een of andere bezwering...?'

'Nee,' zegt Derwisj zonder er doekjes om te winden. 'Daar is het nu te laat voor.'

Ik vecht tegen mijn tranen. 'Komt de ambulance snel? Misschien kunnen zij –'

'Niemand kan nog iets doen!' zegt Derwisj op bijtende toon. 'Hij is dood. Je hebt de dood eerder gezien. Vraag niet het onmogelijke. Je bent geen kind meer.'

Ik kijk mijn oom aan, geschokt door zijn harde toon. Het klinkt alsof hij het afkeurt dat ik me bekommer om mijn vriend, alsof dat verkeerd is.

Derwisj ziet de uitdrukking op mijn gezicht en zijn stem wordt milder. 'Dit is foute boel. En niet alleen omdat Loch dood is.' Hij kijkt opnieuw om zich heen, gespannen. 'Ik heb geen ambulance gebeld.'

'Wat?' barst ik uit. 'Maar –'

'Hij is dood,' zegt Derwisj alsof dat alles verklaart. 'Een ambulance zou niets hebben uitgehaald.'

'Maar dat wist je niet toen je hierheen kwam,' schreeuw ik. 'Toen Bill-E je kwam halen, was Loch nog in leven. Waarom heb je niet om hulp gebeld? Ze hadden hier eerder kunnen zijn dan jij. Misschien zou Loch nog leven als –'

Derwisj onderbreekt me. 'Billy, kom hier.' Bill-E komt langzaam dichterbij, angstig, en probeert niet naar Loch te kijken. Derwisj snoert me de mond met een strenge frons. Ik wil moord en brand schreeuwen, maar ik bijt op mijn tong en wacht op wat mijn oom te zeggen heeft. Wanneer Bill-E ongeveer een meter van ons verwijderd is – dichterbij komt hij niet – neemt Derwisj het woord.

'Wat er vanavond is gebeurd is tragisch. Ik voel met jullie mee, heus, ook al laat ik het niet zien. We zullen het er later nog over hebben. Ik zal jullie steunen waar ik maar kan en proberen jullie het zo makkelijk mogelijk te maken. Maar nu moet ik hard zijn. En ik moet jullie iets vragen wat niet zo makkelijk is.'

Hij pauzeert even en kijkt weer zenuwachtig om zich heen. 'Officieel gezien kan Loch niet hier zijn gestorven,' zegt Derwisj. 'Ik leg het later wel uit. Nu moeten jullie me gewoon vertrouwen. We moeten zijn lichaam verplaatsen. Het moet eruitzien alsof het ergens anders is gebeurd. We verbergen de ingang naar de grot en vertellen het aan niemand. Begrepen?'

Bill-E en ik kijken Derwisj met open mond aan.

'Alsjeblieft,' zegt Derwisj. 'Als het niet van levensbelang was, zou ik het jullie niet vragen.'

'Je bedoelt dat we... met het lichaam... moeten knoeien?' vraagt Bill-E met schorre stem.

'We verplaatsen het alleen maar,' zegt Derwisj. 'We dragen het naar de steengroeve. Jullie kunnen zeggen dat je daar aan het klimmen was. We bellen het alarmnummer zodra we –'

'Verdomme, Derwisj!' schreeuw ik. 'Loch is dood en jij gaat spelletjes spelen? Wat ben jij voor een harteloze –'

'Je luistert niet,' brult Derwisj, die zijn zelfbeheersing verliest. Hij kijkt me woedend aan. 'Laat ik het je nóg een keer zeggen: dit is van lévensbelang. Het bestaan van deze grot is om een heel goede reden eeuwenlang geheim gehouden. En het moet geheim blijven.'

'Geheim gehouden?' vraag ik fluisterend en Derwisj knikt. 'Je bedoelt dat je ervan op de hoogte was?'

'Ik wist niet precies waar hij lag, maar ik wist dat hij bestond,' zegt Derwisj. Zijn gezicht is wit weggetrokken. 'De ingang is honderden jaren geleden doelbewust dichtgemaakt. We zullen alles weer moeten terugstorten.' Hij gaat voor ons staan en steekt zijn linkerhand uit naar mij en zijn rechter naar Bill-E. Ik wil zijn hand niet pakken, maar de blik in zijn ogen zegt me dat het moet. Bill-E aarzelt nog langer, maar ook hij pakt uiteindelijk de hand beet.

'Jullie moeten het me beloven,' zegt Derwisj. 'Beloof me dat jullie me dekken, voor me liegen, zeggen dat dit in de steengroeve is gebeurd, beloof me dat jullie tegen niemand iets zeggen over de grot. Op alles wat je heilig is... in naam van jullie dode moeders... beloof het.'

'En als we dat niet doen?' vraag ik afgemeten.

Derwisj lacht bitter. 'Ik zou jullie kunnen dwingen, maar dat zal ik niet doen.' Hij pakt onze handen steviger beet. 'Jullie weten alle twee dat de wereld waarin we leven niet het exclusieve domein van de mens is. Er zijn nog andere krachten werkzaam. Demonische krachten. Deze grot kan voor hen van waarde zijn. Als we dit niet goed afhandelen, zullen de demonen ervan profiteren en dan zal Loch niet de enige dode zijn. *Beloven jullie het me?*'

We zeggen geen van beide iets.

Derwisj zucht vermoeid. 'Ik zal jullie later meer vertellen. Als jullie dan vinden dat ik geen goede reden had om het te vragen, kun je alsnog je belofte intrekken. Maar nu hebben we geen tijd. We moeten snel aan de slag. We brengen Loch naar de steengroeve en bellen dan meteen de politie. Als we te lang wachten, komt het bij een autopsie aan het licht. Het is hoe dan ook riskant, maar als we niet snel in actie komen, wordt het allemaal een stuk lastiger. Voor ons allemaal.'

Bill-E en ik kijken elkaar aan. We hebben geen idee waar hij het over heeft, maar we vertrouwen Derwisj. Hij heeft ooit ons beider leven gered.

'Je zweert dat je het zult uitleggen?' vraag ik met trillende, schorre stem.

'Ik zweer het.'

'Dan beloof ik het.'

Derwisj glimlacht dankbaar en kijkt Bill-E aan.

'Oké,' zegt Bill-E zwakjes.

'Op je moeder?' dringt Derwisj aan, omdat hij de aarzeling in Bill-E's stem hoort.

Bill-E kijkt hem onzeker aan en knikt dan. 'Op mijn moeder.'

Derwisj ontspant zich en laat onze handen los. 'Bedankt. Dit is belangrijker dan jullie je in de verste verte realiseren. Het is...' Hij kijkt omlaag naar Loch en slikt. 'Er was tenminste geen bloed,' mompelt hij binnensmonds.

Dat herinnert me aan de mysterieuze verdwijning van Lochs bloed. Ik doe mijn mond open om het aan Derwisj te vertellen... en doe hem weer dicht. Het is niet belangrijk. Het bloed is vast gewoon door de spleten in de bodem weggesijpeld. Als ik er nu over begin, maak ik de situatie alleen maar ingewikkelder.

Derwisj gaat naast het lichaam zitten en raakt voorzichtig Lochs bleke voorhoofd aan. Hij zucht en gaat met zijn hand door zijn baard. Er valt een stilte en ik zie hoeveel moeite hij moet doen om zijn gevoelens te verbergen. Dan keert de resolute uitdrukking op zijn gezicht terug en neemt hij zijn professionele houding weer aan. 'Billy, jij neemt de zaklantaarns mee. Ik pak zijn schouders. Grubbs, pak zijn benen. En laat hem in hemelsnaam niet vallen – dat is het laatste wat we kunnen gebruiken.'

De volgende twee, drie uur zijn een nachtmerrie. We dragen het lichaam naar huis, zetten het achter op Derwisj' motor, binden de armen rond Derwisj' middel vast en zetten Loch een helm op om hem er als een levende passagier te laten uitzien, voor het geval iemand hen ziet rijden. Ik kijk hen na, huiverend naast Bill-E, en ga dan naar de keuken om een kop warme chocola te maken, die ik vervolgens niet naar binnen krijg.

Derwisj komt terug om ons op te halen. Gewoonlijk mag er maar één van ons achterop, maar er is geen tijd om ons aan de verkeersregels te houden. Bij de steengroeve aangekomen, gooit Derwisj Loch over de hoogste richel de diepte in. Met een doffe dreun komt het lichaam op de harde bodem terecht en de tranen stromen Bill-E en mij over de wangen. Ik snap niet waarom Derwisj Loch niet meteen naar beneden heeft gegooid. Misschien kon hij niet meer helder denken. Of misschien wilde hij onze tranen, om de rest van de vertoning echter te doen lijken.

Ik bel. Op aanwijzing van Derwisj bel ik het alarmnummer, meld ik buiten adem het ongeluk, geef ik mijn gegevens door en wacht. Ik vraag me af waarom Bill-E en ik dat niet eerder hebben gedaan. We hebben alle twee een mobieltje. Waarom is een van ons niet uit de grot omhoog geklommen om een ambulance te bellen? Waren we gewoon de kluts kwijt en had de paniek het overgenomen? Of had íéts in de grot ons in zijn macht gehad?

De politie arriveert eerder dan de ambulance. Derwisj was in dubio of hij bij ons moest blijven of naar huis gaan en terugkomen wanneer de hulpverleners er waren. Uiteindelijk besloot hij te blijven en moesten we zeggen dat we hem na het alarmnummer hadden gebeld. Iedereen kent Derwisj. Iedereen weet hoe snel hij is op zijn motor. De politie probeert hem altijd te pakken te krijgen, maar hij is hen te slim af. Ze zullen denken dat hij op topsnelheid hierheen is gescheurd. Ze zullen er niet blij mee zijn, maar gezien de tragische omstandigheden is de kans klein dat ze er moeilijk over doen.

Het ambulancepersoneel onderzoekt Loch. Ze doen wat ze kunnen om hem weer tot leven te brengen. Maar ze doen het traag, zonder hoop, in de wetenschap dat het te laat is. Zonder zijn gezicht te bedekken schuiven ze de brancard achter in de ambulance, omdat ze Bill-E en mij niet van streek willen maken. Maar ik weet zeker dat zodra Loch uit ons zicht is verdwenen het laken over hem heen wordt getrokken.

De dienstdoende agent vraagt of hij onze verklaringen kan opnemen. Derwisj schraapt zijn keel en oppert vriendelijk of hij niet eerst Lochs ouders op de hoogte moet stellen. De agent bloost – hij is nog jong, hij heeft waarschijnlijk nooit eerder een lijk gezien, en is alles wat hij heeft geleerd even vergeten. Derwisj biedt aan om de ouders te bellen. De agent accepteert het aanbod met een dankbare glimlach.

Derwisj houdt het kort en zakelijk. Er is een ongeluk geweest. Loch is naar het ziekenhuis. Het is ernstig. Hij zegt niet dat Loch dood is. Dat laat hij aan de artsen over. Dat is niet het soort nieuws dat je telefonisch overbrengt.

Naar huis. De agent brengt Bill-E en mij. Derwisj volgt op de motor. Nog meer warme chocola. Ik krijg het nog steeds niet naar binnen. Koekjes die ik niet kan eten. Derwisj doet de verwarming aan. Terwijl de politie met ons praat, belt Derwisj opa en oma Spleen. Nog voordat we klaar zijn staan ze voor de deur. Het is misschien wel de eerste keer in hun leven dat ze hun geld aan een taxi verspillen. Ze proberen angstvallig hun kleinkind te beschermen. Ze zijn erop gebrand hem zo snel mogelijk weg te krijgen bij de politieagenten met hun vragen. Derwisj moet hen apart nemen en uitleggen dat het beter is om de politieagenten hun werk te laten afmaken – als we het hier niet doen, moeten we later naar het politiebureau. Hij neemt hen mee naar de keuken en stopt hen vol met koffie en thee. Ik verbeeld me dat ze het over mij hebben, dat opa en oma Spleen mij er de schuld van geven dat Bill-E na zonsondergang in de steengroeve was, dat het mijn verantwoordelijkheid is dat hij zijn leven heeft gewaagd met zo'n gevaarlijke klimpartij – en dat Loch dood is.

De ondervraging verloopt rustig. De politiemannen vermoeden niets. Ze willen gewoon precies weten wat er gebeurd is. We vertellen hun dat we een eind gingen wandelen. Dat we bij de steengroeve terechtkwamen. Dat we gingen klimmen. Dat Loch viel. Dat Bill-E probeerde hem beet te pakken. Tevergeefs. Afgelopen.

Er hangen altijd kinderen rond bij de steengroeve. Eens in de paar jaar beloven de autoriteiten het terrein af te sluiten. Niemand heeft die belofte ooit waargemaakt, maar ik denk dat het hierna wel gaat gebeuren. De reactie van de politie is dat dit ooit moest gebeuren. Dat we gewoon pech hebben dat het ons is overkomen.

Niet lang na middernacht vertrekken ze. (Hoe kan het zo snel al zo laat zijn?) Ze zeggen dat ze misschien terugkomen voor aanvullende informatie, maar misschien ook niet. Ze raden ons aan een paar dagen vrij te nemen van school, of er even tussenuit te gaan. Ze waarschuwen ons voor eventuele negatieve reacties – in situaties als deze komt het voor dat ouders zeer emotioneel reageren. Lochs familie zou Bill-E en mij de schuld kunnen geven, ons beledigingen en beschuldigingen naar het hoofd kunnen slingeren. De agenten zeggen dat we daarvan niet te zeer van streek moeten raken, dat we moeten proberen ons in hen te verplaatsen.

Bill-E wil blijven, hij wil Derwisj uithoren, te weten komen waarom we moesten liegen. Maar opa en oma Spleen willen er niets van weten. Zij willen ervandoor, en snel. Ze hebben Derwisj nooit gemogen en op mij zijn ze ook niet echt dol. Nog voordat Bill-E zijn argumenten uit zijn mond heeft kunnen krijgen, worden ze al getorpedeerd. En daar gaat hij, de taxi in, die ze hebben laten wachten – naar huis, waar ze gif in zijn oren kunnen gieten en hem onder zijn neus kunnen wrijven hoe vaak ze hem al niet hebben gewaarschuwd voor die gruwelijke Grady's, die hem alleen maar op het slechte pad brengen.

Uiteindelijk blijven mijn oom en ik achter, alleen in ons oude huis. Het ruikt bedorven in de kamer, naar de stank van leugens en bedrog.

Zonder een woord te spreken, trekken we ons terug in Derwisj' studeerkamer. We gaan aan weerszijden van het enorme bureau zitten, met onze gezichten naar elkaar toe, ik wantrouwend en de tranen van mijn wangen vegend, Derwisj beschaamd en aan zijn baardhaar trekkend.

Tijd voor uitleg.

Open kaart

'Je bent op de hoogte van de Demonata,' begint Derwisj zijn verhaal. 'Je hebt ze aan het werk gezien. Je weet over welke krachten ze beschikken, de magie, hoe vernietigend ze zijn. Je weet dat sommige van hen, zoals Lord Loss, tussen hun universum en het onze heen en weer kunnen reizen.'

'Heeft dit iets met hém te maken?' breng ik er schor uit.

'Nee. Hij heeft de grot niet nodig en voor zover ik weet is hij er ook niet in geïnteresseerd.' Derwisj valt even stil en denkt na over hoe hij zijn verhaal het best kan vervolgen. 'Lord Loss is een uitzondering. De meeste demonen kunnen niet zo makkelijk van het ene naar het andere universum overstappen. Anders zou deze wereld vergeven zijn van de Demonata en zouden de mensen hun speeltjes en slaven zijn.

Veel demonen hunkeren daarnaar. Ze besteden een groot deel van hun tijd aan pogingen om vensters tussen de twee universums te openen. Het lukt hen om zwakke plekken te vinden waar de oversteek makkelijker is en samen met machtsbeluste magiërs aan deze kant gaan ze ermee aan de slag. De Discipelen proberen hen tegen te houden. Wij gaan op zoek naar brandpunten, voorkomen de oversteek waar we kunnen, en waar dat niet lukt proberen we de schade zoveel mogelijk te beperken.'

'Zoals in Slagtenstein.' Ik knik. 'Dat heb je me allemaal al eens uitgelegd. Maar hoe zit het met die grot?'

Derwisj blaast zijn wangen bol en laat vervolgens de lucht ontsnappen. 'Meer dan anderhalf millennium geleden, was er een invasie van Demonata. Normaal gesproken steken ze alleen of in kleine groepjes over. De demonen haten elkaar bijna net zo erg als mensen – er is veel onderlinge machtstrijd. Maar in dit geval hadden duizenden demonen zich verenigd voor een grootscheepse aanval. Ze waren van plan een grote, permanente opening te creëren – een tunnel in plaats van een tijdelijk venster. De grot was de plek die ze hadden uitgekozen.

Ze werden geholpen door een geschifte druïde. In die tijd was er meer magie in de wereld. Magie is een energie en net als alle andere vormen van energie kan magie in de loop der tijd wegebben en weer aanzwellen. Toen was er sprake van een krachtige magische stroom. Er waren veel meer tovenaars en magiërs dan nu, maar ze noemden zichzelf druïden en priesteressen. Er is een hele discussie gaande waarom er vandaag de dag zo weinig magie in de wereld is. Ik denk zelf dat –'

'Je dwaalt af.'

Derwisj grijnst schaapachtig. 'Sorry. Om een lang verhaal kort te maken, de Demonata probeerden via de grot een tunnel te openen. Ze slaagden er bijna in. Voor zover we weten zijn er een heleboel demonen overgestoken, maar waren dat uitsluitend de minder machtige. De tunnel werd vernietigd voordat de meesters konden oversteken. De ingang werd later volgestort en voor de wereld verborgen, om te voorkomen dat iemand ooit nog een poging zou wagen.

Sinds die tijd wordt dit gebied bewaakt. Al die tijd is er hier een bewaker geweest – zelfs toen de Discipelen nog niet bestonden – om de situatie in de gaten te houden, ervoor te waken dat de grot opnieuw werd geopend. Ik ben de laatste in een lange reeks van bewakers. Dat is de reden waarom ik niet over de wereld zwerf, zoals de meeste Discipelen. Van tijd tot tijd moet ik op pad om ergens iets te doen, maar de grot is prioriteit nummer één.'

'Maar je zei dat je niet wist waar de grot was. Hoe kun je nou mensen uit de buurt houden als je niet eens de precieze locatie kent?'

'Toen de grot werd dichtgegooid, zijn er krachtige bezweringen uitgesproken. Als bewaker zou ik het onmiddellijk merken als iemand probeerde binnen te dringen. De bezweringen zouden me direct naar de grot hebben geleid.'

'Maar waarom ben je dan niet gekomen toen wij begonnen te graven?' vraag ik fronsend.

Derwisj' linkerooglid trekt. 'De bezweringen werkten niet.'

'Maar je zei –'

'Er is iets fout gegaan,' bijt hij me toe. 'Daarom was ik zo bezorgd. Ik dacht dat er een machtige magiër aan het werk was, iemand met voldoende macht om de beschermende bezweringen teniet te doen. Toen je me vertelde dat Loch dood was, sloeg mijn bezorgdheid om in regelrechte paniek. Voordat de tunnel kan worden heropend, moet er een offer worden gebracht. Als Loch was vermoord, zou het magische potentieel van de grot zijn geactiveerd en zouden de Demonata weer een nieuwe tunnel kunnen gaan graven.'

'Daarom wilde je weten of er iemand anders in de grot was,' merk ik op.

Derwisj knikt en gaat met zijn tong langs zijn lippen. 'Ik ben nog steeds niet gerust. Die bezweringen zijn door een tovenaar uitgesproken – het kán niet dat ze niet hebben gewerkt. Je hebt Loch niet zien uitglijden?'

'Nee.'

'Je weet dus ook niet zeker dat er niemand anders was, dat hij niet opzettelijk is gedood.'

'Bill-E was bij hem. Die zou het hebben gezien als er iemand anders was geweest.'

'Misschien,' zegt Derwisj weifelend. 'Maar stél dat er iemand was, en dat die iemand sterk genoeg was om de waarschuwende bezweringen bij het heropenen van de grot te doen verstommen, dan had hij ook onzichtbaar kunnen zijn of magie kunnen gebruiken om zijn aanwezigheid uit Billy's geheugen te wissen.'

Ik glimlach flauwtjes. 'Je ziet spoken. We zijn vandaag pas tot de grot doorgedrongen – gisteren, bedoel ik. Zodra we de ingang hadden ontdekt, zijn we zelf naar beneden gegaan. Er kan niemand anders zijn geweest.'

'Je hebt gelijk,' verzucht Derwisj. 'Bij het minste of geringste schrik ik al. Maar ik ben ook zo gespannen! Vroeger, toen de tunnel open was, konden er alleen mindere demonen door. Maar de kern van de tunnel werd steeds wijder. Hij was al bijna zo wijd dat de meesters er doorheen konden. Het omhulsel van de kern is intact gebleven. Als de Demonata hem ooit weer open krijgen, kunnen er binnen enkele dagen duizenden demonen doorheen komen, ook de meesters.'

'Kun je ze niet dwingen om terug te gaan en dan de tunnel afsluiten, zoals daarvoor?'

Derwisj trekt een moeilijk gezicht. 'Mensen beschikken tegenwoordig over veel minder magie dan toen de tunnel voor het eerst openging. En toen hadden ze alleen te maken met de mindere demonen. We zouden het kunnen stoppen als we er tijdig lucht van krijgen, maar als ze hem openen zonder dat we het in de gaten hebben…'

Zijn stem sterft weg. Het is warmer dan anders in de studeerkamer. Derwisj heeft de verwarming meestal niet aan om deze tijd. De temperatuur doet me denken aan de keer dat we in de kelder met Lord Loss aan het vechten waren, aan de onnatuurlijke hitte van het universum van de Demonata. Ik voel me uiterst ongemakkelijk en schuif zenuwachtig op mijn stoel heen en weer.

'En wat nu?' vraag ik zacht.

'We zullen de grot opnieuw moeten verbergen. Er zullen nieuwe bezweringen uitgesproken moeten worden en we zullen proberen uit te vissen waarom die eerste niet hebben gewerkt. Maar dat is een klus voor een tovenaar. Ik zal een oproep plaatsen en dan is het wachten geblazen.'

'Ik dacht dat er geen tovenaars meer waren, alleen nog maar magiërs.'

Derwisj schudt zijn hoofd. 'Er is er nog één. Hij is het hoofd van de Discipelen, maar we hebben zelden met hem persoonlijk te maken. De gevechten die hij voert vinden meestal in het universum van de Demonata plaats. Ik heb één keer aan zijn zijde gevochten, lang geleden. Een paar jaar later droeg hij me op dit gebied te bewaken. Ik weet niet hoelang hij erover zal doen om hierheen te komen, maar hopelijk niet langer dan een maand of twee.'

'En zijn we ondertussen veilig?' vraag ik gespannen. 'Stel dat een kwaadwillende magiër de grot vindt en een offer brengt?'

'Zo simpel is het niet,' zegt Derwisj. 'De tunnel kan niet in één keer geopend worden. Om het proces in gang te zetten moet er een offer worden gebracht. Vervolgens duurt het een paar weken om de ingangen te laten versmelten met de kern. Als dat eenmaal is gebeurd moet er een langdurig, ingewikkeld ritueel in de grot worden uitgevoerd. Díé magie zou ik zeker voelen – die is onmogelijk te verhullen – en ik zou hemel en aarde bewegen om het tegen te houden. Maar ik denk niet dat we iets te vrezen hebben. Aangezien de bezweringen mij niet hebben gewaarschuwd toen jullie de grot binnendrongen, hebben ze ook niemand anders kunnen waarschuwen. De Demonata weten niet dat de ingang van de grot vrij is gemaakt en dus hebben ze geen reden om weer aan de slag te gaan.'

'We zijn dus veilig?' Ik houd hem nauwlettend in de gaten voor het geval hij probeert te liegen.

'Zo veilig als maar zijn kan,' antwoordt Derwisj rustig en er is geen spoortje misleiding op zijn gezicht te bekennen.

Ik begin me iets te ontspannen.

Hij heft een vinger. 'Maar hoe veilig we ook zijn, ik wil niet dat je teruggaat naar de grot.'

'Het idee!' Ik lik langs mijn lippen. 'Wat gebeurt er als je hem opnieuw dichtstort?'

Derwisj haalt zijn schouders op. 'Het leven gaat gewoon door. Ik blijf hier, op wacht, en wanneer ik oud en grijs en nutteloos ben geworden, neemt een andere Discipel het van me over.'

'En hoe zit het met Bill-E? Vertel je hem ook wat je mij hebt verteld?'

'Ja. Zodra opa en oma Spleen hem het huis uit laten, wat wel even zou kunnen duren.' Derwisj staat op en strekt zich uit. 'Wat een avond. Ik ben blij als straks de zon weer opkomt.'

'Loch zal de zon nooit meer zien opkomen,' mompel ik. Het is niet eerlijk dat ik me hier het hoofd zit te breken over de grot, demonen en magie, terwijl ik alleen maar aan mijn arme dode vriend zou moeten denken.

Derwisj glimlacht hulpeloos en loopt om het bureau heen. Hij legt troostend een hand op mijn schouder. 'Als je wilt, mag je het er met me over hebben. Ik weet wat het is om een vriend te verliezen. Ik kan je helpen.'

'Ja. Misschien wel. Bedankt.' Ik haal diep adem en kijk omhoog. De angst in mijn borst groeit. Hij probeert mijn tong in zijn greep te grijpen en het zwijgen op te leggen. Hij maant me fluisterend tot voorzichtigheid. Schreeuwt om stilte. Maar ik moet het Derwisj vertellen. Ik kan het niet langer geheim houden.

'Er is nog meer dan Loch en de grot waar we het over moeten hebben.'

'Oh?' Een verwonderd lachje, in de veronderstelling dat het niets ernstigs zal zijn.

'Ik denk dat ik de familievloek heb.'

De glimlach bevriest op zijn gezicht.

Ik duw de angst zo diep mogelijk weg en gooi ze eruit, de woorden die ik nooit had willen zeggen. 'Ik denk dat ik een weerwolf aan het worden ben.'

Ik vertel Derwisj alles: de misselijkheid, het feest, de fles, de magie die sinds Slagtenstein in me groeit. Hoe ik wakker werd en bij de ingang van de grot bleek te staan, gravend alsof mijn leven ervan afhing. Het gefluister, het gezicht in de rots, het splijten van de rotswand met mijn gil.

Het grootste deel van de tijd luistert Derwisj zwijgend met een donkere blik in zijn ogen, op zijn nagels bijtend of plukkend aan zijn baard. Een paar keer vraagt hij me ergens dieper op in te gaan, om de misselijkheid en het gefluister nauwkeuriger te beschrijven. Maar de meeste tijd kijkt hij me alleen maar aan zonder dat er iets van zijn gezicht valt af te lezen, zijn hoofd een beetje schuin, als een priester die de biecht afneemt.

Wanneer ik ben uitgepraat, valt er een lange stilte. Dan begint Derwisj me als een leraar te berispen. 'Je had me zaterdag moeten bellen, of het me meteen moeten vertellen toen ik thuiskwam.'

'Ik weet wat ik hád moeten doen,' bijt ik hem toe. 'Maar dat heb ik dus niet gedaan. Ik was bang dat je me een Discipel zou maken als ik je over de magie vertelde. En ik hoopte dat ik het bij het verkeerde eind had wat betreft het veranderen in een weerwolf. Het was stom om mijn mond te houden, maar ik heb nooit beweerd een Einstein te zijn. Dus zit me niet zo op m'n nek, wil je?' Ik werp hem een kwaaie blik toe, maar Derwisj blijft me kalm aankijken. '*Nou?*' grom ik, wanneer hij niet reageert. 'Word ik er een of niet?'

'Ik weet het niet. Te oordelen naar de signalen zou je zeggen van wel, maar...'

'Wát "maar"?' snauw ik.

'De slachtoffers hebben het nooit door,' antwoordt hij rustig. 'Niemand wordt van de ene op de andere dag een weerwolf. Het gaat geleidelijk, het is een proces dat drie of vier maanden in beslag neemt. De kinderen hebben vaak wel in de gaten dat er iets mis is – als ze met bloed bedekt of zonder kleren buiten wakker worden – maar ik heb nog nooit gehoord dat iemand zich bewust was van de verandering zelf of zich ertegen verzette. Op het moment dat de verandering plaatsvindt, wordt hun geest leeg. Ze kunnen het zich niet herinneren en evenmin iets doen om het tegen te houden. Jouw ervaringen zijn totaal anders dan die van onze voorouders. En die gaan héél ver terug.'

'Bedoel je dat het misschien niet...?' De hoop laait op in mijn borst.

'Ik weet het niet,' zegt Derwisj nogmaals. 'Alles wijst op lykantropie – de vervorming van het gezicht, het kromtrekken van de vingers, het gehuil. Als iemand anders die dingen had zien gebeuren, zou ik ervan overtuigd zijn dat je vervloekt was. Maar dit soort dingen zou je niet zelf moeten kunnen waarnemen. Het...'

Hij valt weer stil. Zijn voorhoofd is een landschap van rimpels. Ik heb hem volkomen van de wijs gebracht. Zo te zien is hij nog meer van streek dan in de grot. Toen wist hij tenminste waar hij aan toe was en waar hij mee te maken had.

'Vertel me nog eens over die magie,' zegt Derwisj. 'Alles wat je je kunt herinneren.'

Een voor een doorloop ik de bizarre details. Dat ik zwevend boven het bed wakker werd. Het omkeren van de draairichting van het water in de gootsteen. Het op wilskracht verplaatsen van dingen. De fles die ik liet zweven, exploderen en veranderen in bloemen en vlinders.

'En iedereen zag het gebeuren?' vraagt Derwisj. 'Bill-E kan het bevestigen?'

'Natuurlijk.' Ik frons. 'Hoezo?'

Derwisj gromt. 'Als we geluk hebben, ben je aan het doordraaien en zijn de magie en de verandering gewoon verbeelding. Je hebt een paar zware jaren achter de rug, je hebt een hoop meegemaakt, meer dan de meeste jongens van jouw leeftijd. Misschien eist het nu zijn tol. Misschien ben je...' Hij maakt met zijn vinger een cirkelbeweging bij zijn slaap.

'Weet je wat ik zo in je waardeer, oom?' zeg ik nijdig. 'Dat je zo subtiel en tactvol bent.'

'Hou toch op! Dit is niet het moment om soft te gaan lopen doen. Ik zou dolblij zijn als jij aan het doordraaien was, want dan konden we er iets aan doen, iemand inschakelen, zorgen dat het over ging. De magie die je volgens jou hebt gebruikt, is voor het grootste deel volslagen onbekend. Het kan zijn dat het zich allemaal in je hoofd heeft afgespeeld. Maar als je die truc met de fles echt hebt uitgehaald en er zijn getuigen…'

'Die zijn er,' zegt ik stijfjes. 'En dan is er ook nog de grot. We hebben hem zondag gevonden. Toen hebben we maar een klein stukje gegraven, maar toen we gisteren terugkwamen, was hij helemaal uit-gegraven. Overal lagen rotsblokken en aarde. Bill-E zal dat ook bevestigen. Ík heb het gedaan, Derwisj. Ik ben erheen gegaan, niet helemaal als mens, en heb de zaak uitgegraven.'

'Enig idee waarom?' vraagt Derwisj.

'Nee. Behalve dat het door het gefluister kwam… het gezicht…'

Derwisj laat een langgerekt gebrom horen. 'Stel dat jij niet gek bent – en daar ga ik nog steeds van-uit, hoe jammer ik het ook vind om het te moeten toegeven – dan heb ik geen flauw benul van wat dat gezicht te betekenen heeft. Tenzij er lang geleden een of andere bezwering over de grot is uitgesproken, eentje waar ik niets van afweet.' Hij krabt aan zijn linkeroor en vervolgens aan zijn rechter. 'Je verstond niets van wat dat meisje zei?'

'Nee.'

'Had je de indruk dat het gefluister je naar de grot toe trok of je juist waarschuwde om er uit de buurt te blijven?'

Ik denk even na. 'Dat het me waarschuwde. Maar

als dat zo was, wat deed ik daar dan? Waarom ben ik teruggegaan om te graven? Kunnen het de Demonata zijn geweest? Dat zij het beest aanriepen dat ik aan het worden ben? Dat ze me gebruiken om een tunnel tussen de twee universums te openen, zodat zij kunnen oversteken?'

'Mogelijk,' zegt Derwisj. 'Ik dacht niet dat ze zo veel macht hadden, maar als het waar is dat jij aan het veranderen bent, en als er magie in het spel is...' Hij fronst en zakt weg in een zeer verontruste stilte. Ik laat hem vijf minuten broeden... tien... twaalf. Dan houd ik het niet langer uit.

'Wat gaan we dóén,' roep ik uit. 'Ik wil niet in een weerwolf veranderen. Ik wil niemand kwaaddoen. Maar –'

'Stil maar,' zegt hij sussend. 'Laten we niet te hard van stapel lopen. Er gebeuren allerlei dingen waar we niets van begrijpen. Maar ik kan eens rondvragen, advies inwinnen, op zoek gaan naar antwoorden. Je bent niet in een weerwolf veranderd en je hebt niemand kwaad gedaan, dus wind je niet zo op. Daar koopt niemand wat voor.'

Hij pakt een vel papier van de stapel op zijn bureau, maakt er een prop van en gooit die van de ene naar de andere hand, terwijl hij hardop begint te denken. 'Om te beginnen zal ik elke avond wacht houden bij je bed. Zodra je de misselijkheid voelt opkomen, of iets anders wat niet in de haak is, laat je het me direct weten. En ook als je magie voelt ontstaan.' Hij aarzelt. 'Kun je nu iets doen? Een kleine bezwering?'

Ik schud mijn hoofd, te bang om het zelfs maar te proberen.

'Als ik je in actie kon zien... als ik kon zien uit welke bron je put... het zou ons kunnen vertellen waar we mee te maken hebben.'

Ik huiver. Dan knik ik en ik concentreer me. Ik fixeer mijn blik op de prop die Derwisj nog steeds heen en weer aan het gooien is. Ik probeer hem met magie een duwtje te geven, om hem op de grond te laten vallen, maar er gebeurt niets.

'Het lukt me niet,' zeg ik na een minuut. 'Het is er nu niet. Het komt en gaat.'

'Oké.' Derwisj glimlacht. 'Put jezelf niet uit. Goed, het is een lange, vermoeiende avond geweest. Laten we jou in bed stoppen en dan hou ik een oogje in het zeil.'

'Maar de verandering... de magie... dit is alles? We doen er verder niets mee?'

'Nee,' zegt Derwisj en dan glimlacht hij geruststellend. 'Voor vanavond laten we het rusten. Ik kan weinig doen zolang ik je transformatie of je magische vermogens niet met eigen ogen heb gezien. Dan pas heb ik een duidelijker beeld van wat er met je aan de hand is en kunnen we stappen ondernemen. Het beste wat je nu kunt doen is je bed in duiken en zorgen dat je wat slaap krijgt. De problemen zullen morgen niet verdwenen zijn, maar eenmaal uitgerust zullen we er beter raad mee weten.'

Aangezien dat inderdaad het enige is wat we kunnen doen, volg ik Derwisj' advies op. Ik maak me klaar om naar bed te gaan en kruip dan onder de dekens. Derwisj zit in een stoel bij het ronde raam en houdt de wacht. Hij beschermt me, precies als toen ik hier net woonde. Ik weet niet of het zijn rustgevende aanwezigheid is of gewoon de uitputting, maar ondanks alles worden binnen enkele minuten mijn oogleden zwaar en glijd ik weg in de bewusteloosheid.

Vlak voordat ik volledig ben verdwenen, herinner ik me nog één ding dat ik Derwisj niet heb verteld – het bloed onder Lochs hoofd dat was verdwenen. Ik denk niet dat het belangrijk is, maar hij moet het weten voor het geval ik het mis heb. Ik probeer overeind te komen, maar het is te laat, ik ben al te ver weg.

Dromen.

Met een schok word ik wakker. Mijn ogen schieten open en met een ruk kom ik overeind. Maar dit is anders dan ontwaken uit een nachtmerrie. Geen hart dat wild tekeergaat of nabeelden van een kwade droom. Het is eerder alsof iemand me met een stomp mes heeft geraakt en me wakker heeft gepord.

Ik staar in de duisternis om me heen, verward, niet wetend wat me wakker heeft geschud. Dan zie ik dat Derwisj is verdwenen. Dat is waarschijnlijk de reden van mijn onrust – hij is even weggeglipt, om iets te halen, naar de wc te gaan, iets anders aan te trekken, en ik voelde dat hij wegging. Dat alarmeerde me en ik schrok wakker. Simpel.

Ik glimlach en wil weer achterover leunen, maar blijf plotseling zitten. Er is meer aan de hand. Er ís iets. Ik voel dat ik in gevaar verkeer.

Behoedzaam kom ik uit bed en loop op m'n tenen naar de deur. Er schijnt licht in de gang boven aan de trap. Ik sluip mijn kamer uit en ga op het licht af. Het is warm in huis, Derwisj heeft de verwarming niet uitgedaan.

Ik overweeg Derwisj te roepen, maar doe het niet. Stel dat we niet alleen zijn, dat we worden aangevallen, dan wil ik niet dat de vijand me hoort. Ik denk niet dat de situatie zo ernstig is – het gevoel van gevaar overheerst niet – maar het is beter om voorzichtig te zijn.

Ik kom bij de brede, met ornamenten versierde trap, die de drie verdiepingen van het huis met elkaar verbindt. Onder me is duisternis. Boven me zie ik een zwak schijnsel, uit de richting van Derwisj' studeerkamer. Ik ga erop af.

Even later sta ik bij de deur van de studeerkamer, die op een kier staat. Gewoonlijk doet Derwisj de deur dicht, maar vannacht heeft hij hem opengelaten, waarschijnlijk vanwege de warmte. Hij is aan de telefoon. Als de deur dicht was geweest, had ik hem niet kunnen horen praten. Nu de deur openstaat, kan ik hem uitstekend verstaan.

'Jaja,' bromt hij zacht, 'ik weet het.' Een pauze. 'Ik denk het niet. Ik heb het niet tot op de bodem uitgezocht, maar…' Weer een pauze. 'Daarom zei ik ook dat ik dénk van niet. Ik ga morgen terug, dan zal ik het controleren en… Ja. Nee. Nee. Ze waren ervan overtuigd dat er niemand anders aanwezig was.' Een pauze. 'Natuurlijk weet ik dat niet zeker. Ik was er niet bij. Maar ik vertrouw ze. We zijn veilig. Het is geen honderd procent, maar ik ben zo goed als zeker.'

Derwisj beweegt in zijn stoel. Ik denk dat hij iets

154

gehoord heeft en nu komt kijken wat het is. Ik maak aanstalten om ervandoor te gaan, maar dan hoor ik hem weer praten.

'Laat hem gewoon weten wat er is gebeurd.' Een pauze. 'Ja, ik weet wat de consequenties zijn als... Ja!' Bits nu. 'Ik ben geen stommeling en ik kom ook niet net kijken. Naar mijn inschatting zijn we veilig. Maar er is maar één iemand die dat kan bevestigen. En dat zal hij doen ook. Maar dat kan alleen maar als jij nu eindelijk de hoorn neerlegt en het bericht doorgeeft.' Een pauze. 'Ik weet dat hij niet makkelijk te bereiken is. Ik weet dat ik zal moeten wachten. Maar hoe eerder je begint, des te...'

Stilte. Dit keer een lange pauze. Ik hoor Derwisj met zijn vingers op het bureau trommelen. Uiteindelijk zegt hij, zachtjes: 'Hij is als een zoon voor me.' Ik verstijf en leun dan nog een paar centimeter naar voren. 'Natuurlijk, in het ergste geval... Ja, ik weet het. Ik wéét het. Maar ik hoop...' Derwisj zucht. Weer een lange stilte.

Als ik nog iets naar voren leun, kan ik hem zien. Vlak bij zijn hand ligt een zwarte map op zijn bureau.

'Ik heb de nummers,' zegt hij rustig. Hij stopt met trommelen en trekt de map naar zich toe. Hij maakt hem niet open. 'Ja, ik kan het. Ik heb er de kracht voor. Als er geen andere... als het zover komt.'

Weer een stilte, die Derwisj verbreekt met een kortaf: 'Geef jij nou maar het bericht door. Als jij jouw werk doet, hou ik me wel bezig met het mijne.'

Hij smijt de hoorn op de haak en komt overeind.

Ik race terug naar mijn kamer. Duik onder de dekens. Trek ze op tot aan mijn kin. Probeer eruit te zien alsof ik slaap.

Derwisj komt binnen. Hij controleert of alles goed is met me. Hij gaat weer in de stoel zitten. Ik lig heel stil, met mijn ogen gesloten en mijn oren gespitst. Eindelijk, na een aantal lange minuten, hoor ik een zacht snurkend geluid.

Ik laat me voorzichtig uit bed glijden en sluip langs de ingedutte Derwisj de kamer uit. Ik doe het licht niet aan en ga in het donker weer naar boven. Ik denk dat ik weet wat er in die zwarte map zat en waarom ik met een gevoel van dreigend gevaar wakker ben geworden. Maar ik wil het zeker weten. Ik kon het niet goed zien. Er is een kleine kans dat het iets anders was.

De studeerkamer. De deur staat nog open. Ik glip naar binnen, doe de deur zachtjes dicht, loop in het donker naar het bureau en doe een van de lampjes aan. Het bureaublad licht op. De map ligt er nog, naast de telefoon, zo zwart als de grot.

Ik pak de map beet, laat hem op mijn handen rusten en staar naar de blanco omslag. Ik weet wat ik in de map zal aantreffen maar ik bid tot alle goden die er zijn dat ik het mis heb.

Dan, met een snelle beweging, sla ik hem open. Er zitten wat vellen papier in, met op elk een handjevol namen, adressen, telefoonnummers en e-mailadressen. En boven aan het eerste vel, niet eens in grote letters, vetgedrukt of onderstreept, maar toch opvallend, alsof ze in het papier zijn gebrand en nog

nagloeien, de twee woorden die al mijn bange vermoeden bevestigen.

De Lammeren.

Misery nummer II

De rest van de week ga ik niet naar school. Vreemd genoeg zou ik liever wel gaan. Het is dodelijk saai om de hele tijd in huis rond te hangen en te lopen piekeren, met alleen Derwisj als gezelschap. Ik heb behoefte aan afleiding van Lochs dood en al het andere. Ik wil bij mijn vrienden zijn, met hen over de tragische gebeurtenissen praten, het achter me laten, doorgaan met mijn leven. Maar er wordt van me verwacht dat ik een week vrij neem om bij te komen en dus doe ik dat.

Ik doe hard mijn best om niet aan de zwarte map of de Lammeren te denken. Zoals Derwisj zei, is de vloek al héél lang in onze familie. Er zijn ouders die hun eigen kinderen doden op het moment dat ze transformeren, maar in veel gevallen kunnen de ouders dat niet opbrengen. Om daar een oplossing voor te vinden zijn een aantal generaties geleden de Lammeren in het leven geroepen. De rijkste leden van onze clan zorgden voor het geld, en doen dat nog steeds. Hun taak is om tieners die weerwolf zijn geworden te doden. Soms doen ze ook experimenten met de wolven, in de hoop de genetische geheimen van de familievloek te ontsluiten en een remedie te vinden.

Derwisj heeft niet veel met de Lammeren te maken. Hij vertrouwt ze niet. Hij is altijd van plan geweest Bill-E of mij in het ergste geval zelf te doden – er gaat niets boven een persoonlijke touch. Maar mijn oom heeft de afgelopen jaren heel wat meegemaakt. Hij ziet er nog even sterk uit als altijd, maar schijnt bedriegt. Misschien is hij bang dat hij er de kracht niet meer voor heeft om met mij af te rekenen, mocht ik in een weerwolf veranderen.

Ik heb het ook niet zo op de Lammeren. Ik heb er ooit één ontmoet, maar dat was een kil, griezelig mens en het hele idee om door een vreemde als een wilde hond te worden afgemaakt vervult me met weerzin. Derwisj is in het verleden heel duidelijk geweest, dat mocht zo'n drastische stap ooit nodig zijn, hij me uit mijn lijden zou verlossen. Ik kan me wel voorstellen waarom hij nu op die belofte zou willen terugkomen, maar dat maakt het nog niet makkelijker om het te accepteren. Hoe kinderachtig het misschien ook klinkt, voor mij voelt het als verraad.

Het is Bill-E gelukt om donderdag langs te komen, nadat Derwisj een paar dagen lang over de telefoon op opa en oma Spleen heeft ingepraat om hen over te halen Bill-E het huis uit te laten gaan. Hij ziet eruit alsof hij in shock is. Bleek en ziekelijk. Zijn luie linker ooglid trilt zo hevig dat het lijkt alsof er onder zijn huid wormen kronkelen. Hij zegt niet veel, wat ongebruikelijk is voor Bill-E. Hij luistert verdoofd terwijl Derwisj hem vertelt over de grot en waarom we het lichaam moesten verplaatsen. Het vooruitzicht van een demoneninvasie lijkt hem niet erg te verontrusten.

'Ik heb naar Lochs huis gebeld,' zegt Bill-E wanneer we alleen zijn in de televisiekamer.

Ik kijk hem aan en weet niet goed wat ik moet zeggen. Ik heb Reni al de hele week willen bellen, maar ik durfde niet.

'Zijn vader nam op,' vervolgt Bill-E. 'Ik kon horen dat hij had gehuild. Ik wilde zeggen hoe erg ik het vond, vragen hoe het met ze ging, of ik iets voor ze kon doen. Maar ik kon geen woord zeggen. Mijn mond werd helemaal droog. Uiteindelijk hing hij op. Hij werd niet kwaad. Hij klonk alleen maar verdrietig.'

Bill-E staart in de leegte. Als je ziet hoe het hem geraakt heeft, zou je denken dat zijn beste vriend is gestorven in plaats van een treiteraar die hij niet mocht. Maar misschien is het daardoor voor hem juist moeilijker dan voor mij. Door de combinatie van schuldgevoel en verdriet. Ik denk dat hij spijt heeft van alle slechte dingen die hij over Loch gedacht heeft, de scheldnamen die hij hem ongetwijfeld achter zijn rug heeft toegebeten, de keren dat hij zijn kwelgeest dood heeft gewenst.

'Ik ga maandag weer naar school,' zeg ik tegen Bill-E. 'En jij?'

Hij schudt zijn hoofd. 'Ik weet het niet.'

'Ik vind dat je moet gaan. Misschien helpt het.'

'Opa en oma willen niet dat ik weer naar school ga. Ze zeiden dat ik zo lang thuis mag blijven als ik wil. Ze zeiden dat ze een privéleraar zouden zoeken.'

Wat een bemoeizuchtige, egocentrische ouwe

griezels. Maar misschien moet ik niet te hard oordelen. Ze zijn oud en eenzaam. Bill-E is alles wat ze hebben. Ik begrijp het wel dat ze hem voor zichzelf willen, veilig opgeborgen zodat ze hem vierentwintig uur per dag kunnen betuttelen. Maar ze zouden beter moeten weten. Bill-E moet de echte wereld weer in, hij moet zo snel mogelijk zijn gewone leven weer oppakken.

'Ik herinner me de keer dat je me over de dood van je moeder vertelde,' zeg ik zacht.

Bill-E kijkt me aan, de starende blik is uit zijn ogen verdwenen.

'Je grootouders hebben je toen een jaar binnen gehouden. Je sprak niemand anders. Je vocht met de kinderen die met je probeerden te praten.'

'En toen kreeg ik een kaakslag van een jongen in een winkel,' zegt Bill-E en hij lacht krampachtig.

'En toen was je er weer.' Ik ga naast hem zitten. Ik overweeg een arm om zijn schouder te slaan, maar besluit het niet te doen – we hoeven ook weer niet te overdrijven. 'Sluit je niet af van je vrienden, Bill-E.'

'Heb ik die dan?' vraagt hij verdrietig.

'Dat weet je best,' antwoord ik kortaf. 'Misschien niet zo veel als je zou willen, maar er zijn zat mensen die je mogen en die met je te doen hebben, die je hier doorheen willen helpen. Maar dat kunnen ze niet als jij je afsluit, als jij je laat verstikken door je opa en oma. Ga weer naar school. Pak de draad weer op. Je weet dat dat het beste is.'

'Loch kan de draad niet meer oppakken,' zegt Bill-E zuchtend.

'Nee,' beaam ik stijfjes. 'Dat kan hij niet. Maar wij zijn niet in die grot gestorven. Wíj leven. Loch niet en dat is afschuwelijk spijtig. Maar het leven gaat door. Loch gaat naar een graf, en wij gaan terug naar school. Zo is het nu eenmaal.'

Bill-E knikt traag. 'Ga jij naar de begrafenis?'

'Ik wil niet maar ik denk dat ik moet.'

'Ik kan het niet,' fluistert Bill-E. 'Teruggaan naar school lukt me nog wel, maar…'

'Dat is oké,' zeg ik glimlachend. 'Weer naar school is al erg genoeg.'

Bill-E beantwoordt mijn glimlach kort en staart dan weer voor zich uit. 'Ik hoor zijn schreeuw nog steeds,' mompelt hij. 'En zijn gezicht zie ik ook nog voor me. Zijn ogen… Hij wist niet dat hij doodging. Er lag geen doodsangst in zijn ogen, alleen maar ongerustheid. En kwaadheid. Hij had er paniekeriger moeten uitzien. Als hij had geweten…'

Nog uren zitten we daar, de televisie uit, af en toe even snotterend, maar verder net zo stil als Loch nu is.

Vrijdag. De begrafenis. Het is vreselijk. Meer zeg ik er niet over.

Maandag. School. Iedereen staart en fluistert. Kinderen die zich snel voor me uit de voeten maken. Het is alsof Magere Hein naast me loopt.

Ik zie mijn vrienden op een van onze bekende hangplekken achter de kantine staan, schuilend voor de regen. Wanneer ik dichterbij kom, valt het gesprek dood. Ik ga bij hen staan. Ze kijken me aan, ik kijk hen aan en enkele lange seconden wordt er niets gezegd. Dan verbreekt Charlie de stilte.

'Loch moet pislink zijn geweest toen hij op zijn begrafenis neerkeek – hij had de schurft aan bloemen. En hij moest nog een pak aan ook!'

Iedereen lacht.

'Je bent een eikel, Charlie,' zegt Frank giechelend.

'Zulke dingen mag je niet in bijzijn van Reni zeggen,' zegt Shannon vermanend.

'Alsjeblieft zeg,' snuift hij. 'Ik ben geen volslagen idioot.'

Het gelach sterft weg. Frank schraapt zijn keel. 'Was het heel erg?'

'Zwaar klote,' zeg ik gespannen.

'Zei hij nog iets voordat hij... je weet wel?' vraagt Mary.

Ik knik ernstig. 'Zijn laatste woorden... ik moest moeite doen om hem te kunnen verstaan... hij...' Ik kuch en iedereen buigt zich naar voren om te luisteren. 'Hij zei... met gebarsten stem... vechtend om adem... zijn ogen in de mijne geboord... "Mary Hayes heeft een gezicht als het achtereind van een koe."'

Mary brult van woede en geeft me een dreun met haar tas. De anderen lachen. Dan gaat de bel en we lopen met z'n allen naar binnen. Terug het gewone leven in, of zo gewoon als mogelijk is.

Tijdens de lunch gaat er een gerucht. Misery Mauch heeft zich ziek gemeld. Hij is ingestort. Sommige leerlingen beweren dat hij overmand werd door verdriet toen hij hoorde wat er met Loch is gebeurd, maar dat is onzin. Loch is nooit bij hem geweest.

Misery wordt blijkbaar vervangen door een vrouw. Ze zeggen dat ze nogal jong is, maar niemand heeft haar nog goed kunnen zien, ze komt Misery's kantoor bijna niet uit.

In de lunchpauze zie ik Bill-E niet. Hij zit bij de nieuwe schoolpsycholoog. Ik hoop dat ze er meer van begrijpt dan die ouwe Misery. Bill-E heeft professionele hulp nodig, en geen hijgerige goeddoener. Ik moet erachter zien te komen wie ze is, of ze hem niet nog dieper de stront in helpt. Grubbs Grady – de schrik van elke kwakzalver!

Halverwege aardrijkskunde komt er een jongetje uit een lagere klas binnen en overhandigt mijn leraar een briefje. De nieuwe schoolpsycholoog wil me zien. Blijkbaar doet de mogelijkheid om haar aan een snelle inspectie te onderwerpen zich eerder voor dan ik had gedacht.

Ik moet een paar minuten op de gang wachten voordat ik naar binnen wordt geroepen. Ik ga naar binnen en zie de psycholoog naast het bureau van Misery staan, met haar rug naar me toe. Wanneer ze zich omdraait, zak ik bijna door de grond.

Een slanke vrouw van gemiddelde lengte, eind dertig of begin veertig. Chic gekleed, meer als een zakenvrouw dan als lerares. Knap, maar niet oogverblindend. Heel weinig make-up. Zuiver wit haar in een paardenstaart. Uitzonderlijk bleke huid. Rozige ogen. Ze is een albino. Maar dat is niet de reden dat ik haar sta aan te gapen. Dat komt doordat ik haar ken en de laatste keer dat ik haar zag een jaar geleden in Slagtenstein was, waar ze de hersenen elektrocuteerde van Chuda Sool, die met de demonen heulde.

'*Juni Swan!*' roep ik uit.

'Voor jou nog altijd mevrouw Swan, jongeman,' zegt ze met een lachje. Dan doet ze een stap naar voren, slaat haar armen om me heen en omhelst me stevig, terwijl ik versteend blijf staan, verbijsterd, en neerkijk op de bovenkant van de bleke witte bol van haar hoofd.

* * *

Juni was een van de assistenten van filmproducent Davida Haym. Als psycholoog was het haar taak om ervoor te zorgen dat de kinderen op de set goed werden behandeld. Derwisj viel voor haar en ik had de indruk dat zij ook wel iets voor hem voelde. Ik geloof niet dat ze verder zijn gegaan dan verliefde blikken uitwisselen en handjes vasthouden, maar dat was vast gebeurd als we toen niet met z'n allen in een gekkenhuis waren beland.

Toen de hel losbrak en de demonen tekeer gingen, hielp Juni ons een bres te slaan in de barrière die Lord Loss rond de stad had optrokken. Als dat gat er niet was geweest, zou iedereen zijn omgekomen. Tijdens de gevechten raakte ze bewusteloos en ze kwam pas weer bij toen de barrière zich weer had gesloten, waardoor honderden acteurs en medewerkers binnenin vast kwamen te zitten. Net als wij stond ze machteloos en kon ze alleen maar staan kijken en luisteren hoe al die mensen door de demonen werden gemarteld en gedood.

Ze verloor zichzelf in razernij en kwam tot de ontdekking dat ze net als ik verbinding kon maken met de magische energie in de lucht. In een vlaag van woede gebruikte ze die energie om Chuda Sool te doden, een demon en collaborateur, die door het gat naar binnen was geglipt. Achteraf had ze er spijt van. Ze ging er 's nachts vandoor en liet een briefje achter voor Derwisj, dat ze in verwarring was en diepbedroefd. Ze zei dat ze misschien nog wel eens contact met hem zou opnemen als ze alles weer op een rijtje had, maar dat hij er niet van uit moest gaan dat ze elkaar ooit nog zouden zien.

En nu staat ze voor me, als vervanger van Misery. Ze ziet er iets gespannener uit dan ik me haar herinner, maar verder is ze geen spat veranderd.

'Waarom ben je hierheen gekomen?' breng ik hijgend uit, nadat ik van de eerste schok ben bekomen. 'En hóé?'

'Dat is precies wat Bill-E vroeg,' grinnikt ze. We zitten voor het bureau, onze stoelen tegen elkaar aan. Juni heeft mijn handen vast. 'Ben je niet blij om me te zien?'

'Natuurlijk wel. Maar het is zo lang geleden. Ik had nooit gedacht... En hoe ben je hier terechtgekomen, op onze school? Je bent geen schoolpsycholoog. Nee toch?'

'Niet echt.' Ze zucht en laat mijn handen los. 'Het is geen lang verhaal en ook niet echt ingewikkeld. Na onze ervaringen op de filmset lag ik helemaal overhoop.' Ze pauzeert. Haar ogen maken even snel contact met de mijne en ik begrijp de boodschap: geen woord over de demonen of de slachtpartij. *Als-*

jeblieft. 'Het kostte me een paar maanden om er weer bovenop te komen,' vervolgt ze, 'Minder lang dan ik vreesde. Ik had al snel door dat werken zou helpen, dat ik bezig moest zijn, dat ik door anderen met hun problemen te helpen ook mezelf kon helpen.

'Een vriend bood me een baan in het onderwijs aan. Ik werd adviseur van een netwerk van school-psychologen. Ik gaf supervisie, stelde richtlijnen op, hielp hen bij hun problemen, organiseerde bijeen-komsten en conferenties. De regio die toen onder mijn verantwoordelijkheid viel, bevond zich een heel eind hier vandaan. Maar een paar maanden geleden deed zich de mogelijkheid voor om te verkassen. Ik wist dat jouw school binnen mijn nieuwe regio viel. Om eerlijk te zijn: dat was de belangrijkste reden om te switchen.'

Ze glimlacht zwakjes naar me. 'Vanaf de dag dat ik ervandoor ging, wil ik al contact opnemen met Derwisj. Ik heb het niet gedaan uit angst, schuldge-voel, schaamte. Dit was een manier om een stap dichterbij te doen. Het was mijn bedoeling om voor-zichtigjes aan weer in zijn leven te verschijnen, hem een tijdje te observeren, de moed te verzamelen om hem weer onder ogen te komen. Toen werd William Mauch ziek op het moment dat jij en Bill-E een lief-devol en begrijpend oor nodig hadden. Als zijn meer-dere werd er van me verwacht dat ik zou inspringen. En als jullie vriend voelde ik me hiertoe verplicht. En dus...' Enigszins verlegen haalt ze haar schouders op. 'Tada!'

'Derwisj zal blij zijn,' zeg ik lachend. 'Hij heeft je gemist.'

Haar gezicht betrekt. 'Vertel het hem alsjeblieft niet. Nog niet. Niet voordat ik er klaar voor ben.'

'Maar...'

'Alsjeblieft,' onderbreekt ze me, scherp dit keer. 'Ik zal hem binnenkort ontmoeten, maar nu nog niet. Niet voordat ik de tijd heb gehad om me te installeren, mijn positie heb bepaald en klaar ben met waar ik voor gekomen ben.'

'Wat bedoel je?'

Ze leunt naar voren, de blik in haar ogen warm maar ernstig, en zegt: 'Ik wil het over je vriend hebben, Loch Gossel.' Ze legt een kleine, slanke hand op een van mijn grote, knokige handen. 'Ik wil het over zijn dood hebben en wat het jou heeft gedaan.'

Bijna een uur lang praten we over mijn vriendschap met Loch, over wat voor iemand hij was, hoe hij is gestorven, wat er door me heen ging, hoe ik ermee ben omgegaan. In het begin voel ik me ongemakkelijk, maar Juni luistert geduldig en stelt de juiste vragen op het juiste moment. Ze doet niet alsof we geen oude vrienden zijn, maar tegelijkertijd behandelt ze me als een cliënt, zoals een professioneel iemand zou doen. Geen gehuichel, geen opgeklopte vertoning, geen geslijm. Ik merk dat ik me voor haar open, haar dingen vertel die ik zelfs Derwisj niet heb verteld, over de pijn die ik voel, de nachtmerries, het verlies.

We hebben het uitgebreid over Bill-E. Ze heeft bijna de hele ochtend met hem gepraat en ze maakt zich zorgen.

'Ik kan je niet alles vertellen wat we hebben besproken,' zegt ze. 'Dat is vertrouwelijke informatie.

Maar ik heb de indruk dat er vijandigheid was tussen hem en Loch. Is dat volgens jou een juiste veronderstelling?'

'Ze konden niet goed met elkaar opschieten,' beaam ik.

'Hebben ze ooit met elkaar gevochten?'

Ik glimlach. 'Nee.'

'Vanwaar die glimlach?'

'Loch was bijna net zo groot als ik. En een worstelaar. Het zou niet echt een gevecht zijn geweest.'

'Maar ze hadden wel ruzie?' dringt ze aan.

'Loch...' Ik aarzel. Ik wil niks naars zeggen over mijn dode vriend.

'Pestte hij?' raadt Juni.

'Ja. Hij had de pik op Bill-E. Soms was hij echt gemeen. Ik vond het niet leuk, maar ik kon er niets aan doen. Het was Bill-E's probleem, niet het mijne.'

'Pestte Loch Bill-E op de dag dat hij stierf?' vraagt Juni.

Ze is niet bang om het open over de dood te hebben. Ze verschuilt zich niet achter verzachtende bewoordingen zoals 'het incident' of 'het ongeluk'. Dat staat me wel aan..

Ik denk na. 'Een beetje wel, ja. Maar we waren moe van het gra- ik bedoel het klimmen in de steengroeve. We waren allemaal een beetje kortaangebonden.'

'Ze hebben niet gevochten?'

'Nee.'

'Je hebt niets gezegd of gedaan om te proberen Loch te laten ophouden met pesten?'

'Niet echt.'

'Weet je het zeker?'

Ik haal mijn schouders op. 'Ik herinner me niet meer wat er allemaal is gezegd. De twee uur voordat hij viel is nogal vaag. Niet dat ik er niet aan wil denken of zo. Het is gewoon... als ik terugkijk is het net alsof ik door een mist kijk. Snap je wat ik bedoel?'

Juni knikt. 'Ik snap precies wat je bedoelt. Een deel van mijn taak is om jou te helpen door die mist heen te komen.'

'Is dat zo belangrijk?' vraag ik fronsend.

'Absoluut. Het zou wel eens een mist van schuldgevoel kunnen zijn. Als jij iets naars tegen Loch hebt gezegd waar je nu spijt van hebt, kun je het diep vanbinnen hebben weggestopt. Als je er niets mee doet, kan het daar jarenlang blijven zitten om vervolgens toch weer omhoog te komen en jou een hoop leed en een ellendig gevoel over jezelf te bezorgen.'

'Ben je dat met Bill-E aan het doen?' vraag ik. 'Zijn mist aan het doorboren?'

'Inderdaad. Hoewel het bij hem moeilijker zal zijn dan bij jou. Jij bent niet zo'n stille-wateren-diepe-gronden-type.'

'Wat?'

'Jij bent eerlijk en recht door zee. Jij speelt geen spelletjes met mensen. Lochs dood heeft je aangegrepen, maar ik denk niet zo diep als Bill-E. Jij bent uit taaier hout gesneden, Grubbs Grady. Taaier dan Bill-E en taaier dan ik. Ik denk dat we bij jou niks ernstigs hoeven te verwachten. Jij bent te ongekunsteld voor ingewikkelde problemen.'

'Misschien verkijk je je daarop,' mompel ik geërgerd omdat ze me zo beschrijft. 'Misschien weet ik mijn pijn en verwarring gewoon heel goed te verbergen.'

'Misschien,' beaamt Juni. 'Maar maak je geen zorgen, ik trek geen overhaaste conclusies. Als er diep vanbinnen wel veel pijn zit, dan kom ik er wel achter en dan help ik je. Dat beloof ik.'

We praten nog een tijdje verder over het gepest van Loch en wat ik ervan vond. Daarna nog over de dag dat hij stierf, hoelang ik hem heb vastgehouden, mijn pogingen om hem in leven te houden, mijn gevoelens toen ik besefte dat hij dood was. Ik moet huilen. Juni doet geen poging om me te troosten. Ze zit gewoon naast me, te kijken, te wachten. Wanneer ik uitgehuild ben, geeft ze me een zakdoekje om mijn wangen mee af te drogen en vervolgt dan ons gesprek.

Aan het eind van de sessie staat ze op en geeft me een hand. Wanneer ik mijn hand probeer weg te trekken, verstevigt ze haar greep. Haar roze ogen zoeken de mijne en houden ze vast.

'Bill-E heeft beloofd om niets tegen Derwisj te zeggen over mij. Als jij die belofte niet kunt doen of je er niet goed bij voelt, zeg het dan alsjeblieft. Ik wil hem graag zelf vertellen dat ik hier ben. Ik doe het liever later, wanneer ik zover ben, maar als ik jou in een lastig parket breng, dan doe ik het nu.'

'Nee,' zeg ik glimlachend. 'Ik houd mijn mond wel. Hij is toch niet zo geïnteresseerd in wat er op school gebeurt. Als hij ernaar vraagt, zal ik hem zeggen dat Misery Mauch is vervangen door een of andere gestoorde dame. Ik durf te wedden dat hij dan niet eens naar je naam vraagt.'

'Dank je wel.' Ze laat mijn hand los. 'Als je het niet erg vindt wil ik morgen met je verder praten.'

'Graag.'

Ze glimlacht van oor tot oor en loopt dan met me mee naar de deur. Ik wandel terug naar mijn lokaal, met een gonzend hoofd, lippen die aan de zijkanten opkrullen en voor het eerst sinds Lochs dood het gevoel dat er misschien toch een klein zilveren randje zit aan het tot nu toe onheilspellende zwarte monster van een toekomst.

Huisbezoek

De dagen hierna gaat Bill-E vooruit. Hij begint weer te praten, de starende blik in zijn ogen verdwijnt en hij loopt niet langer rond als een zombie. Elke keer dat we elkaar tegenkomen is hij vol lof over Juni. Dat ze zo aandachtig luistert, dat ze hem zo goed begrijpt en op precies de juiste momenten de juiste dingen zegt.

'Ik heb haar nooit in actie gezien in Slagtenstein,' zegt hij donderdagmiddag wanneer we uit school komen. 'Ik wist niet dat ze zo cool was. Ik dacht dat het weken, misschien wel maanden zou duren voordat ik weer kon lachen. Maar kijk nou eens!' Met een brede grijns kijkt hij me aan. 'Ze is een wonderdoener.'

Ik glimlach, enigszins gespannen, belachelijk jaloers. Ik heb Juni elke dag gezien, maar onze sessies zijn kort. Ze besteedt veel meer tijd aan Bill-E en wanneer ik bij haar ben, heeft ze het meer over Bill-E's gevoelens dan de mijne.

'Ik heb het gevoel dat ik alles tegen haar kan zeggen,' dweept Bill-E. 'Ze is...' Hij valt stil. We zijn bij de straathoek aangekomen. Er zit een zwerver op de stoep, met zijn rug tegen de muur, zijn hoofd omlaag, zijn gezicht verscholen achter een woeste baard en verwilderd haar. Bill-E stopt een hand in zijn rechterjaszak en dan in zijn linker. Hij vindt een paar muntjes en houdt ze omhoog. De zwerver reageert niet direct, maar steekt dan zonder op te kijken een hand uit. Bill-E laat de muntjes in de hand van de zwerver vallen en glimlacht. De zwerver beantwoordt zijn glimlach niet. Bill-E haalt zijn schouders op en loopt door.

'Waar was ik gebleven?' vraagt hij.

'Bij je wonderdoener,' grom ik.

'O ja!' En daar gaat hij weer: Juni dit, mevrouw Swan dat.

Ik wil hem toesnauwen dat hij zijn mond moet houden, dat hij me gek maakt met zijn dweperige gezwam. Maar dat zou gemeen zijn, en kinderachtig. En ik zou het alleen maar zeggen omdat ik jaloers ben op alle ontboezemingen en de tijd die ze samen doorbrengen.

Vrijdag. Ik probeer Juni meer geïnteresseerd te krijgen in mij. Ik vertel haar over mijn ouders en Gret, hoe ik me voelde toen ze werden vermoord en na de grootscheepse moordpartij in Slagtenstein. Ik neem een paar van mijn griezeligste nachtmerries met haar door. Ik verwacht dat ze zich gretig op de nieuwe informatie stort en alle sappige details uit me gaat trekken. Maar ik heb het mis.

'Dat is een oud verhaal,' zegt ze. 'Ik denk niet dat het nu relevant is.'

'Maar alles hangt toch met elkaar samen?' sputter ik. 'Het verleden... het heden... wat ik toen voelde is van invloed op wat ik nu voel.'

'Natuurlijk,' zegt ze. 'Maar ik geloof dat je prima bent omgegaan met je verleden. Je nachtmerries zijn niet meer dan normaal, een gezonde manier om de spanning te ontladen en iets met je angsten te doen. Ik zie geen reden om oude wonden open te leggen. Jij wel?' Ze wacht, met een opgetrokken wenkbrauw.

Ik schuif ongemakkelijk in mijn stoel heen en weer, blozend.

'Het is geen wedstrijd, Grubbs,' zegt Juni rustig. Ik kijk haar onzeker aan. 'Je hoeft niet met Bill-E om mijn aandacht te vechten. Mijn relatie met Bill-E op school is dezelfde als die met jou – louter beroepsmatig. Ik besteed meer aandacht aan hem omdat hij me harder nodig heeft. Er zijn nog anderen die me nodig hebben. De afgelopen week heb ik met verschillende leerlingen gepraat, waaronder Lochs zus, Reni, bij haar thuis.'

'Je bent bij Reni geweest?' vraag ik verbijsterd.

Juni knikt. 'Zoals ik je maandag al zei ben ik geen gewone schoolpsycholoog. Mijn werkveld strekt zich uit tot buiten het klaslokaal. Reni heeft het heel zwaar. Maar ze slaat zich er goed doorheen. Volgende week komt ze weer naar school. Dan zal ik hier tijd aan haar besteden. En dat betekent dat ik nog minder tijd voor jou heb. Dat mag geen probleem zijn.'

'Natuurlijk niet. Ik heb nooit... Ik wilde niet...'

'Het is in orde.' Juni glimlacht. 'Jaloezie is normaal, zelfs voor een jongen van jouw leeftijd.'

'Ik ben niet jaloers,' zeg ik verontwaardigd.

'Misschien niet. Maar als je het wel bent, is daar

niks mis mee. We kunnen er niets aan doen dat we onredelijke gevoelens hebben. Het gaat erom dat we die gevoelens onderkennen en ze niet laten door-woekeren. Ik wil niet dat er tweespalt ontstaat tus-sen Billy en jou.'

'Ik weet niet waar je het –'

'Grubbs,' onderbreekt ze me. 'Ik ben zo direct omdat ik respect voor je heb. Dit is hoe ik tegen een volwassene doe. Als je wilt kan ik je als een kind be-handelen en dit soort onderwerpen angstvallig uit de weg gaan. Maar als je –'

'Oké,' kap ik haar af, kwaad maar beheerst. 'Geen probleem. Ik begrijp het. Ik zal me niet laten meeslepen door mijn…' Ik kijk haar kwaad aan en gooi het er dan uit. 'Mijn jaloezie.'

'Daar ben ik blij om.' Ze glimlacht en geeft een klopje op mijn rechterhand. 'Nu we dat hebben op-gehelderd kunnen we het nog even over Billy heb-ben en hoe jij, als zijn beste vriend, hem kunt hel-pen bij het verwerken van zijn pijn.'

Ik loop naar huis en denk na over Juni's woorden. Ze keek door me heen alsof ik van glas was en ze wist precies hoe ze me moest aanpakken. Ze is van een heel ander kaliber dan Misery Mauch. Elke school zou een psycholoog moeten hebben als Juni Swan, iemand die echt contact kan maken met…

Er staat opeens een man voor me en ik bots bij-na tegen hem op. Ik doe snel een stap achteruit. Het is een zwerver. Hij staat midden op het smalle pad dat van Carcery Vale naar mijn huis loopt. Hij kijkt me aan met kleine, donkere ogen. Hij is heel harig.

Stinkt. Heeft tot op de draad versleten kleren aan van dertig of veertig jaar geleden. In een van de bovenste knoopsgaten zit een klein bosje bloemen. Het ziet er lachwekkend misplaatst uit.

'Sorry,' mompel ik terwijl ik langs hem heen probeer te schuifelen. Hij reageert niet. Ik kijk hem nog een keer oplettender aan – we zijn alleen, er is niemand te zien, de bomen onttrekken ons aan het zicht. Mijn zintuigen geven een waarschuwingssignaal af. Ik maak me klaar om te vechten of te vluchten, mocht dat nodig blijken. Maar de zwerver maakt geen gevaarlijke indruk. Hij kijkt me alleen maar aan, zonder een woord te zeggen, zijn armen langs zijn lichaam, zijn blik strak.

'Kunt u misschien…?' Ik gebaar of hij een beetje aan de kant kan gaan. Maar hij verroert zich nog steeds niet. Zuchtend ga ik de berm in en trap de brandnetels plat. Ik maak sarcastisch een uitnodigend gebaar naar het pad. De zwerver knikt traag en loopt me dan voorbij.

Hoofdschuddend ga ik het pad weer op en loop naar huis. Ik heb nog maar vijf of zes stappen gedaan wanneer ik me de zwerver van gisteren herinner, aan wie Bill-E geld heeft gegeven. Ik draai me om met de bedoeling de man nog eens goed te bekijken, benieuwd of het dezelfde is. Maar het pad is leeg. Geen spoor van hem te bekennen. Hij moet het bos in zijn gegaan. Het is alsof hij in rook is opgegaan.

Huiswerk. Terwijl ik aan het worstelen ben met een ingewikkelde scheikundige formule, wordt er op de voordeur geklopt. Dankbaar klap ik mijn boeken dicht en ga kijken wie het is, blij dat ik een excuus heb om te pauzeren.

Het is Juni.

'Hallo Grubbs,' zegt ze zenuwachtig. 'Is je oom thuis?'

'Jawel. Maar… eh… ik dacht dat je hem nog niet wilde zien.'

'Dat was ook zo.' Ze laat een dun lachje horen. 'Ik was op weg naar mijn hotel, toen ik opeens linksaf ging in plaats van rechtsaf en toen kwam ik hier terecht.' Ze haalt haar schouders op. 'Het deel in me dat de grote beslissingen neemt vindt blijkbaar dat het tijd is.'

'Wil je dat ik hem roep of ga je liever zelf naar hem op zoek?'

'Wil jij hem roepen? Dat lijkt me beleefder.'

'Derwisj!' brul ik en dan laat ik Juni binnenkomen. 'Zal ik je jas aannemen?' vraag ik terwijl ze de drempel over stapt.

'Dank je.' Ze doet haar jas uit en geeft hem aan me. Haar hand trilt wanneer die de mijne aanraakt. Ik overweeg hem vast te pakken en er een vriendelijk kneepje in te geven, maar voordat ik zover ben komt Derwisj uit zijn studeerkamer de trap af gedraafd.

'Je hoeft niet zo te schreeuwen,' gromt Derwisj. 'Ik ben niet doof. Ik kan –'

Hij ziet Juni. Hij blijft stokstijf staan, zijn linkervoet halverwege de tree. Zijn mond zakt traag, komisch omlaag.

'Hallo Derwisj,' zegt Juni en ze zwaait onhandig. 'Ik ben terug.'

En ze kijken elkaar knipperend aan als een stel geschrokken uilen.

* * *

Twee uur later. Derwisj en Juni hebben de hele tijd in de televisiekamer opgesloten gezeten. Ik zit in de keuken en ben nog steeds niet uit mijn scheikundeprobleem. Niet dat ik er erg mijn best voor heb gedaan. Mijn gedachten gingen voornamelijk uit naar Derwisj en Juni, en waar ze het allemaal over hebben.

Een deel van me wil naar de deur sluipen en ze afluisteren, maar dat zou achterbaks en oneerlijk zijn. Ik zou het vreselijk vinden als iemand dat bij mij zou doen, dus doe ik het ook niet bij hen.

Ongeveer een halfuur later, wanneer Juni naar de wc is, komt Derwisj de keuken in. Hij zet water op, zet twee mokken klaar, pakt een paar koekjes en komt naast me zitten. Hij gniffelt zachtjes. 'Je had het me moeten vertellen,' zegt hij, maar hij klinkt niet boos.

'Ze vroeg me het niet te vertellen,' antwoord ik.

'Dat weet ik, maar...' Hij grinnikt. 'Nee. Het maakt niet uit. Misschien was het zo wel beter. De schok was aangenaam. Ik ben wel blij dat ik niet van de trap ben gevallen en mijn nek heb gebroken.' Hij kijkt me aan. 'Juni heeft me over jullie gesprekken verteld, zonder de vertrouwelijke details prijs te geven. Ze zei dat je het geweldig doet, gezien de situatie. Ze vindt je een wonder. Ze zei dat als iedereen zo'n herstellend vermogen had als jij, ze geen werk meer zou hebben.'

Ik haal mijn schouders op, alsof het niets betekent, maar ik voel me gestreeld.

'Billy heeft minder geluk.' Hij zucht. 'Ik wist dat de dood van Loch hard was aangekomen, maar dat het zo erg was... Ik dacht dat hij na Slagtenstein wel voorbereid was op de dood. De gebeurtenissen daar leek hij wel aan te kunnen. Maar volgens Juni heeft hij zijn gevoelens opgekropt, dat hoe hij er nu aan toe is een vertraagde reactie is op wat er toen is gebeurd.'

'Zij is de deskundige, neem ik aan.'

Derwisj knikt traag en zegt dan: 'Billy heeft haar verteld dat ik zijn vader ben.'

'O ja?' Bill-E weet niet dat zijn moeder een affaire had met mijn vader, dat ik zijn halfbroer ben, dat Derwisj zijn oom is. Hij denkt dat Derwisj zijn vader is.

'Gewoonlijk vertelt ze dergelijke informatie niet door,' vervolgt Derwisj, 'maar dit keer had ze het gevoel dat ze wel moest. Ze wilde weten of het waar was.'

'Wat heb je haar verteld?'

'De waarheid. Nou ja, deels dan. Ik heb het niet over Cal gehad of jouw relatie tot Billy. Dat is ons geheim. Het leek me niet nodig om alles te vertellen.'

Het water kookt. Derwisj giet water in de twee mokken. Hij kijkt naar me terwijl hij de theezakjes in het water dompelt. 'Ik dacht dat jij Billy wel verteld zou hebben over jullie vader.'

'Nee,' zeg ik zacht.

'Je weet dat je het mag vertellen als je dat wilt? De beslissing is aan jou.'

'Ik weet het. Ik wil het hem wel vertellen en ik ga het ook doen, maar ik heb het juiste moment nog niet gevonden. Het is informatie waardoor zijn hele leven op zijn kop komt te staan. Ik heb gewacht op een rustige periode met niet teveel gedoe, maar die hebben we de afgelopen jaren niet gehad.'

Derwisj pakt de mokken beet en blijft even staan. 'Ik zou er niet te lang mee wachten. Je weet beter dan wie ook dat tijd kostbaar is. Wachten is een gevaarlijk spel. Soms mis je de boot en krijg je spijt.'

Ik knik bedachtzaam. 'Ik geef het nog een paar maanden, zodat Bill-E over Loch heen kan komen. Als ik denk dat hij er klaar voor is, zet ik hem in een stoel en gooi ik het er allemaal uit.'

'Als je hulp nodig hebt...'

'Dan vraag ik het. Bedankt.'

We glimlachen naar elkaar. Dan gaat Derwisj weer terug naar de televisiekamer om verder bij te praten met Juni.

Elf uur. Juni is er nog steeds. Op haar uitnodiging ben ik bij haar en Derwisj in de televisiekamer gaan zitten. Ze zitten samen op de bank, niet tegen elkaar aan maar wel heel dicht bij elkaar. Ze zitten te kletsen alsof ze elkaar in geen eeuwigheid hebben gezien. Er komt zelden een vraag of opmerking mijn kant uit. Ik voel me het vijfde wiel aan de wagen, maar ik vind het niet erg. Het is leuk om naar hen te kijken. Ik heb Derwisj nooit zo uitbundig gezien.

Ik wist niet dat er nog romantiek school in die ka-
le ouwe lul.

Ze hebben het over van alles en nog wat: school,
Carcery Vale, motoren, bands, films, televisie. Voor
een man die nooit enige interesse heeft getoond in
muziek, film of televisieseries is Derwisj opeens ont-
zagwekkend goed geïnformeerd.

'Was jij ook bij dat optreden?' roept Juni met een
gilletje – ja, een gílletje! – wanneer het gesprek op
een punkband komt die ze alle twee goed vonden.
'Niet te geloven. Wat een klein wereldje. Ik stond in
de pit. En jij?'

'Backstage,' zegt Derwisj bescheiden. 'Ik kende
een van de roadies. Hij heeft voor een pasje gezorgd.
Vroeger was ik bevriend met de leadzanger.'

Derwisj bevriend met de leadzanger van een
punkband? Backstage staan moshen tijdens een con-
cert? Het is nu duidelijk: ik ben in een andere werkelijkheid terechtgekomen.

'Ik ga naar bed,' mompel ik terwijl ik opsta en
doe alsof ik moet gapen. Gewoonlijk lig ik er niet
voor twaalven in, maar dit wordt me te surrealis-
tisch.

'Bed?' Juni knippert met haar ogen en kijkt op
haar horloge. 'Mijn hemel. Dat het al zó laat is! Ik
moet ervandoor. Ik moet morgen weer vroeg op.'

Ze staat op. Een fractie van een seconde later is
ook Derwisj overeind gekomen. 'Blijf nog even,'
brengt hij er haperend uit. 'Het is pas elf uur. Dat is
niet laat.'

'Voor mij wel,' zegt Juni lachend.

'Maar ik heb je het huis nog niet laten zien.' Het

komt er vertwijfeld uit, alsof ze het huis nú moet zien of anders spontaan in vlammen zal opgaan. 'Je zei toch dat je de andere verdiepingen wilde zien?'

'Ja,' zegt Juni aarzelend en ze kijkt opnieuw op haar horloge. 'Misschien een ander keertje?'

'Het duurt niet lang,' zegt Derwisj glimlachend. 'Een snel rondje. Je kunt later terugkomen voor een uitgebreide rondleiding.'

'Misschien wil je me wel nooit meer zien,' prevelt Juni en ze slaat haar wimpers zedig neer.

Getver! Wat een zin! Veel oubolliger kan het niet worden.

'De deur staat altijd voor je open,' zegt Derwisj met een zelfvoldane glimlach op zijn gezicht.

Ik neem mijn woorden terug; het kan wél.

'Nou... goed dan,' besluit Juni. 'Maar dan ook echt snel, een kwartiertje, hooguit twintig minuten. Afgesproken?'

'Als je wilt zet ik het zwart-op-wit,' zegt Derwisj aanstellerig lachend.

'Nee,' zegt Juni en ze raakt zijn hand aan. 'Ik vertrouw je.'

Over verliefde kalveren gesproken. Dit is ondraaglijk. Nog iets meer gezwijmel en ik ga over m'n nek.

Ik vergezel Derwisj en Juni op de rondleiding door het huis. Ik loop een paar passen achter hen en telkens wanneer een van hen een suikerzoet gekir of commentaar laat horen, grimas ik als een ouwe zuurpruim.

Derwisj is superopgewekt. In sneltreinvaart leidt

hij haar door het doolhof van gangen en kamers en trakteert haar op korte verhandelingen over de geschiedenis van het huis. Ze is weg van de kelder; ze is ook een wijnkenner.

'Je moet echt eens langskomen om een paar flessen met me te ontkurken,' dringt Derwisj aan.

'Wijn is bedoeld om samen van te genieten,' beaamt Juni.

'Dat wilde ik net zeggen,' roept Derwisj opgewonden uit. 'Ongelooflijk hoeveel we gemeenschappelijk hebben.'

'Nou hè,' zegt Juni glimlachend. 'Dezelfde bands, films, boeken, wijn... Het is bijna eng.'

Ze klinkt een heel stuk jonger wanneer ze zulke dingen zegt. Ik heb dat vaker gemerkt bij volwassenen. Wanneer mensen een bepaalde leeftijd bereiken leren ze een nieuwe manier van spreken, maar soms komen er opeens woorden en zinnen uit hun jeugd tevoorschijn, waardoor ze binnen het bestek van een paar lettergrepen twintig of dertig jaar terug in de tijd belanden.

We vervolgen de rondleiding op de bovenverdieping, hoewel ze het nu meer over bands en boeken hebben dan over het huis. Ik overweeg een stekelige opmerking te plaatsen – 'Misschien zijn jullie eigenlijk een tweeling die bij de geboorte is gescheiden' – maar waarom zou ik hun pret bederven? Trouwens, hoe langer ik hen laat babbelen, des te meer ik heb om Derwisj later mee te pesten.

We komen bij Derwisj' studeerkamer. De lichten en de computer staan nog aan van toen hij er aan het werk was. De deur staat op een kier. Juni loopt iets voor Derwisj uit en maakt aanstalten om vóór hem naar binnen te gaan. Derwisj kan het niet schelen. Hij glimlacht sereen. Maar dan herinnert hij zich de bezweringen. (Ik denk er eerder aan dan hij, maar ben zo gemeen om niets te zeggen, want ik zou het wel grappig vinden als ze in een eland of een zebra veranderde.)

'Juni, nee!' blaft hij.

Ze blijft staan, verrast.

Derwisj glimlacht zwakjes. 'Het is er een ontzettende zooi. Laat mij maar eerst naar binnen gaan en...'

Hij probeert langs haar heen te dringen, maar ze tilt een hand op en houdt hem tegen. 'Wacht.' Ze kijkt fronsend naar de deur en zet dan nog een stap naar voren.

'Juni, ik denk echt dat je...'

'Het is oké.' Ze kijkt achterom, kalm en beheerst. 'Geef me gewoon een minuutje. Ik wil iets proberen.'

Ze richt haar blik weer op de deur en sluit haar ogen. Ze heft haar rechterhand, met de handpalm naar de deuropening. Ik ben nieuwsgierig naar wat ze aan het doen is en ga naast Derwisj staan, die haar onzeker gadeslaat.

Juni haalt diep adem. Houdt haar adem vast. Mompelt zachtjes iets. Het licht in de kamer wordt zwakker en haar vingers gloeien op. Dan wordt het licht weer sterker en verdwijnt de gloed uit haar vingers.

Ze stapt naar voren, de studeerkamer in en er gebeurt niets.

Derwisj staat op de gang en gaapt Juni aan, die een pirouetje maakt en naar hem glimlacht. 'Jij... de magie... de bezweringen... je hebt ze opgeheven!'

Juni knipt met haar vingers. Er schiet een boek van een plank en het komt in haar hand terecht. 'Tada!' roept ze uit, net als toen ik haar voor het eerst op school ontmoette. Dan kijkt ze Derwisj ernstig aan. 'Ik heb een drukker jaar gehad dan ik je heb doen geloven,' zegt ze.

En dan is Derwisj de kamer in gestoven. Hij staat naast haar, opgewonden pratend, informerend naar haar magische vermogens, wat ze allemaal kan, wie het haar heeft geleerd. Duizend vragen per seconde, terwijl Juni hoofdschuddend staat te lachen en een poging doet ze allemaal te beantwoorden.

Ik blijf op de gang staan dralen en kijk vol ongeloof naar mijn oom en Juni Swan, verbijsterd en om de een of andere reden waar ik mijn vinger niet op weet te leggen merkwaardig slecht op m'n gemak.

Een bekend gezicht

Het is officieel: Derwisj Grady is op Juni Swan!

Het is pas een week geleden dat ze bij ons huis opdook, maar ze heeft mijn oom in die week vaker gezien dan ik in drie maanden. Afgelopen weekend was ze het grootste deel van de tijd bij ons, ze is vier keer blijven slapen en dit weekend zijn ze ook samen.

Ze praten vooral over magie. Juni kan magische energie channelen als die om haar heen in de lucht hangt. In Slagtenstein ontdekte ze haar magische vermogen. Ze wilde het er met Derwisj over hebben en te weten komen hoe ze haar talent kon bijschaven, maar ze was er nog niet aan toe om hem weer te zien. En dus ging ze zelf op onderzoek uit, kwam in contact met anderen die deel uitmaken van de magische onderwereld en terwijl ze haar beroepsleven weer op orde bracht, ging ze in haar vrije tijd bij hen in de leer. Ze maakte snel vorderingen en ontwikkelde zich in de afgelopen maanden tot een machtige magiër.

Derwisj is volkomen stapel op haar. In Slagtenstein voelde hij zich al tot haar aangetrokken en hij heeft veel aan haar gedacht. Maar sinds ze terug is en hij heeft ontdekt hoeveel ze gemeenschappelijk hebben, met magie op de belangrijkste plaats, is hij helemaal van de kook. Hij is zo van haar onder de indruk dat het onwerkelijk lijkt. Ik denk dat als ze hem zou vragen op zijn motor te stappen en naar het andere eind van de wereld te rijden, hij het zo zou doen.

Mij duizelt het allemaal een beetje. Van een soort vriendin en tijdelijke schoolpsycholoog is Juni opeens een centraal onderdeel van mijn leven geworden. Het is alsof er een tornado heeft gewoed en alles voorgoed is veranderd. Ik was eraan gewend geraakt om alleen met Derwisj te zijn. Het voelde natuurlijk. En dat is nu sneller veranderd dan ik voor mogelijk had gehouden. Ik kan er nog niet helemaal bij.

Maar ik zal eraan moeten wennen, want die twee zijn nog maar aan het opwarmen. Vanochtend kwam ik de keuken in om te ontbijten en daar zaten Derwisj en Juni al, hevig zoenend. Ik zweer dat als hij zijn tong nog iets dieper in haar keel had gestoken, hij haar longen had kunnen likken!

Bill-E vindt de combinatie Derwisj-Juni geweldig. Sinds Lochs dood zijn we vaker samen. We lunchen samen en voeren lange gesprekken, net als vroeger. Ik dacht dat hij jaloers zou zijn omdat Juni zo veel tijd met Derwisj doorbrengt, maar hij vindt het niet erg.

'Dit is precies wat Derwisj nodig heeft,' betoogt hij. 'Hij is al veel te lang alleen.'

'Hij had mij toch,' zeg ik snuivend.

'Dat is niet helemaal hetzelfde,' zegt Bill-E lachend. 'Het zal hem goed doen. Misschien komt hij nu wat vaker buiten de deur in plaats van binnen te zitten kniezen.'

'Derwisj zit niet te kniezen.'

'Jawel,' houdt Bill-E vol. 'Tenminste, dat deed hij totdat Juni langskwam.'

Juni weet dat ik van slag ben door de recente ontwikkelingen. Ze is er niet zelf over begonnen, over haar relatie met Derwisj of het feit dat ze zo vaak bij ons over de vloer komt. Wel heeft ze zowel thuis als tijdens onze sessies al een paar keer gevraagd of ik het nog over iets anders wil hebben dan de dood van Loch, of er iets anders is dat me dwarszit. Ik heb steeds ontkennend geantwoord en van haar weggekeken. Ze heeft niet aangedrongen. Ze geeft me de tijd. Ze laat me met rust totdat ik zover ben dat ik er zelf over begin.

Temidden van al deze verwarring komt Reni weer op school.

Wanneer we elkaar voor het eerst tegenkomen, weet ik niet wat ik moet zeggen. Afgezien van de begrafenis, waar we niets tegen elkaar hebben gezegd, heb ik haar sinds Lochs dood niet meer gezien. Mijn eerste reactie is een enorme aanval van schuldgevoel. Ik heb de waarheid over het ongeluk verdoezeld, geholpen het lichaam te verplaatsen, gelogen om Derwisj' geheim te beschermen.

Enkele seconden lang heerst er een afschuwelijke stilte. Dan fluistert Reni: 'Hoi.'

'Hoi,' antwoord ik schor.

Ze leunt naar voren en laat haar hoofd tegen mijn borst rusten. 'Ik mis hem, Grubbs,' zegt ze en haar stem breekt.

'Ik ook,' kreun ik.

De tranen stromen. Bij ons alle twee.

Daarna is het makkelijker. Niet zoals het was, dat zal het nooit meer worden, maar het is oké, vooral wanneer we met de anderen zijn. Iedereen praat nu openlijk over Loch, het ongeluk, hoe erg het is – we vermijden het onderwerp niet meer. Dat hebben we aan Juni te danken. Sinds zij op school is heeft ze ons allemaal in haar kantoor laten komen of thuis opgezocht, vastberaden om ons te helpen over het verdriet te praten en het te verwerken. Zonder haar zou ons leven een heel stuk zwaarder zijn.

'Wat doe jij dit weekend?' vraagt Shannon vrijdag aan Reni.

'Niets bijzonders,' antwoordt Reni. 'Thuisblijven. Huiswerk maken. Ik heb een hoop in te halen.'

'Vergeet het maar,' zegt Shannon snuivend. 'Jij gaat met ons naar de film. En ik duld geen tegenspraak. Grubbs, jij gaat ook mee.'

'Ja, baas,' grinnik ik, blij met het excuus om het huis te ontvluchten. Juni is niet erg groot, maar als ze er is, lijkt het er opeens heel vol.

'Hoe gaan we erheen?' vraagt Reni. Er is een filmzaal in Vale, maar daar gaan we zelden naartoe. Het is veel leuker om naar een echte bioscoop te gaan in een van de grotere steden in de buurt.

'Franks vader brengt ons,' zegt Shannon. Franks vader is taxichauffeur en hij heeft een personenbus-

je. 'Ja toch, Frank?' Shannon knippert met haar oogleden om hem te lijmen.

'Ik zal zien wat ik kan doen,' mompelt Frank.

'Mag Bill-E ook mee?' vraag ik, in de hoop dat
hij er meer bij gaat horen.

'Tuurlijk,' zegt Shannon na enige aarzeling. 'Hoe
meer zielen hoe meer vreugd.'

Sinds het ongeluk is iedereen aardig geweest voor
Bill-E. Ze vinden het niet erg dat ik hem betrek in
onze lunchgesprekken en naschoolse activiteiten.
Maar ik voel dat de stemming terugglijdt naar hoe
het was. Bill-E is niet 'een van ons' en hoewel hij vanwege de bijzondere omstandigheden tijdelijk is geaccepteerd, moet de natuurlijke orde van de school-
wereld zo snel mogelijk worden hersteld. Binnen niet
al te lange tijd breekt de dag aan dat ik een keus moet
maken: Bill-E of de rest.

Maar dat zien we wel als het zover is. Dit weekend gaat het over vrienden, films en vrolijkheid. Het
serieuzere werk kan wachten.

Derwisj en Juni brengen de avond door met het be-
oefenen van magie. Juni blijkt zeer begaafd te zijn.
Ze heeft de afgelopen maanden heel wat geleerd en
bij tal van bezweringen steekt ze mijn oom de loef
af.

'Heb je haar al voorgesteld om zich aan te sluiten bij de Discipelen?' heb ik hem eerder op de avond
gevraagd, half grappend, half serieus. 'Dan kunnen
jullie samen naar de weekendjes demonenrammen
en misschien onderweg nog wat punkconcerten mee-
pikken.'

'Ik weet het niet,' had Derwisj gemompeld. De grap was hem ontgaan 'Ik wil haar er liever niet bij betrekken. Het is een gevaarlijk leven. Maar ik kan ook niet werkloos toezien dat zo'n talent onbenut blijft. We kunnen alle magiërs gebruiken die we kunnen vinden. En ik denk dat zij wel zal willen meedoen. Het zou wel eens haar reden geweest kunnen zijn om me op te zoeken, de persoonlijke gevoelens even daargelaten. Ze heeft de Demonata in actie gezien en kennisgemaakt met de Discipelen toen die naar Slagtenstein kwamen om de boel op te ruimen. Ze weet waar de wereld het tegen moet opnemen, welke strijd er woedt. Misschien wil ze wel helpen. Ik zal het onderwerp binnen niet al te lange tijd moeten aansnijden, maar ik kijk er niet echt naar uit.'

Hoezeer Derwisj ook in beslag wordt genomen door Juni, mij is hij niet vergeten. Nog steeds komt hij bijna elke avond even kijken. Hij houdt me in de gaten, vraagt hoe ik me voel, maakt zich zorgen over wat er zou kunnen gebeuren. We zijn halverwege de omloop van de maan. Ik ben nog maar een paar weken verwijderd van de gekte. Derwisj neemt het heel serieus. Hoeveel tijd hij ook aan Juni besteedt en hoe opgewonden en verwachtingsvol hij ook is, hij verwaarloost zijn verplichtingen ten opzichte van mij niet. Hij heeft contact opgenomen met iedereen die hij maar kon bedenken, in een poging meer te weten te komen over mijn situatie, of iemand ooit iets dergelijks heeft meegemaakt. Hij doet erg zijn best voor me.

Hij heeft niets over de Lammeren gezegd, maar

ik weet zeker dat hij erover nadenkt, net als ik elke nacht, wanneer ik eindeloos lig te malen over wat ik moet doen als het monster tevoorschijn komt en ik verander.

Op naar de bioscoop. Ik steek mijn hoofd om de deur van de studeerkamer om Derwisj en Juni te laten weten dat ik wegga. Ze zitten samen op de grond, tegenover elkaar, hun vingers verstrengeld, ogen gesloten, diep ademend. Ze werken aan een bezwering. Ze horen niet dat ik tegen hen praat.

Ik loop naar binnen en krabbel iets op een papiertje. Terwijl ik het op het scherm van Derwisj' computer plak, glijd mijn blik naar de plek waar Juni zit. Achter de gesloten oogleden zie ik haar ogen gloeien. Ze ziet er angstaanjagend uit. Ik ga snel de kamer uit en ren de trap af. Ik kan niet zeggen waar ik zo van op tilt sloeg, ik weet alleen dat ik blij ben dat ik me uit de voeten kan maken.

Voor we naar de film gaan, eten we in een hamburgerrestaurant in jarenvijftigstijl. Iedereen is opgewonden en druk aan het praten, behalve ik. Ik moet steeds aan Juni's ogen denken en ik probeer erachter te komen wat me zo bang maakte.

Bill-E vindt het geweldig om erbij te zijn, hoewel hij moeite heeft om met de gesprekken mee te doen. Hij maakt herhaaldelijk aanstalten om iets te zeggen, slikt dan zijn woorden weer in en gaat op zoek naar een betere formulering. Tegen de tijd dat hij de juiste woorden in zijn hoofd op een rijtje heeft, gaat het gesprek alweer ergens anders over. Als hij gewoon zichzelf was, zou er niets aan de hand zijn. Maar hij denkt dat hij bij ons extra geestig en cool moet zijn, en door zo te twijfelen en te treuzelen komt hij juist dom en onhandig over. Ik overweeg het hem te zeggen, maar dan verzink ik weer in mijn gepeins over Juni's ogen.

Tijdens de film zit Reni naast me. Na een tijdje pakt ze mijn hand. Ik kijk opzij om naar haar te glimlachen en ze glimlacht terug. Ik dacht dat Lochs dood een wig tussen ons zou drijven, maar dat is niet zo. Ze wil nog steeds mijn vriendin zijn. Misschien is het nu zelfs belangrijker voor haar dan daarvoor – hoe meer ze zich op mij concentreert, des te minder ze over Loch hoeft te piekeren.

Ik leun opzij naar Reni, mijn mond is droog, mijn ruggengraat tintelt.

Maar dan zie ik Juni's ogen weer voor me en eindelijk valt het muntje. De gloed herinnerde me aan de vurige, lege oogholtes van één van de volgelingen van Lord Loss – Arterie, het weinig charmante hellekind.

Ik ga weer rechtop zitten. Reni kijkt me aan, verbaasd en enigszins gekwetst. Ik dwing mezelf tot een bitter glimlachje. 'Straks,' fluister ik. 'Ik ben een beetje zenuwachtig.' Ik breng haar in de waan dat ik verlegen ben. Ik kan haar onmogelijk vertellen dat het de gedachten aan demonen zijn die mijn tanden doen klapperen, dat ik bang ben dat als we zoenen ik per ongeluk haar tong afbijt.

Reni glimlacht naar me en knijpt zachtjes in mijn hand. 'Ik snap het,' zegt ze. Ze vindt het blijkbaar lief. Ze laat haar hoofd op mijn schouder rusten en zucht. 'Geef maar een gil wanneer je zover bent. Ik wacht wel.'

Ik leg mijn hoofd tegen het hare en sluit mijn ogen. Ik dring de geluiden van de film naar de achtergrond en met haar zachte haren tegen mijn wang probeer ik te luisteren naar haar hartslag, maar het lukt me niet om de gedachten aan Juni's ogen en demonen uit te bannen.

Wanneer we de bioscoop uit komen, zie ik naast een van de fonteinen van het winkelcentrum een zwerver zitten. Het is een heel eind weg, maar het lijkt dezelfde zwerver te zijn die ik vorige week op het bospad tegenkwam. Terwijl de rest weer op weg gaat naar het restaurant, voor een milkshake, blijf ik staan en tuur in de richting van de zwerver. Ik weet zeker dat hij het is – dezelfde verwilderde baard, het lange haar, de oude kleren, het boeketje bloemen in een knoopsgat. En misschien verbeeld ik het me, maar hij lijkt ook naar mij te kijken, mijn blik te beantwoorden.

Ik wil op hem af lopen. Ik weet niet waarom, maar zijn aanwezigheid stoort me en ik wil zeker weten of het dezelfde man is. Maar dan merkt Reni dat ik niet bij de groep ben. Ze roept me. Wanneer ik niet reageer, roept ze me nog een keer, ditmaal scherper.

'Sorry,' mompel ik en ik wend mijn blik af van de zwerver. 'Ik dacht dat ik een bekende zag.'

'Wie?' wil Reni weten.

'Niemand.' Ik glimlach wanneer ze fronst. 'Een leraar. Maar het was hem niet. Kom op, laten we van onze milkshakes gaan genieten.'

'Je bent vandaag in een rare bui,' is Reni's commentaar, terwijl ze me meesleept om de anderen in te halen.

Vlak voordat we de hoek om gaan, kijk ik achterom naar de fontein. Niemand te bekennen. De zwerver is verdwenen.

* * *

Thuis. Ik maak me zorgen. Ik loop te piekeren over de zwerver. Waarschijnlijk heeft het niets te betekenen en is het gewoon toeval dat ik hem een paar keer ben tegengekomen. Maar het kan ook wel iets te betekenen hebben. We zijn beschermd tegen demonen, Derwisj heeft dat tientallen keren gezegd. Maar sommige demonen hebben een menselijke assistent. Stel dat de zwerver voor Lord Loss werkt en zijn kans afwacht om me knock-out te slaan en me af te voeren naar een plek waar de demonenmeester me in zijn duivelse handen kan krijgen?

Ik besluit Derwisj op de hoogte te brengen. Ik loop het risico dat hij denkt dat ik een angsthaas ben, dat ik spoken zie, maar met dit soort dingen kun je beter het zekere voor het onzekere nemen. Ik ga op zoek naar Derwisj in zijn studeerkamer en vervolgens in zijn slaapkamer, maar daar tref ik alleen Juni aan, op de rand van Derwisj' bed. Ze staart uit het raam, in gedachten verzonken.

'Hoi,' zeg ik. 'Waar is Derwisj?'

'Hij is Chinees gaan halen.'

'O.' De plaatselijke afhaalchinees bezorgt ook thuis, maar Derwisj vertrouwt ze niet en is bang dat

ze het verkeerde brengen. Hij gaat het altijd zelf halen. 'Geen probleem. Ik zie hem straks wel.' Ik maak
aanstalten om de kamer uit te gaan.

'Grubbs.' Juni roept me terug. Ze klopt op het
stukje bed naast haar. Ik ga zitten en er valt een lange stilte. Ze blijft uit het raam staren. Wat is ze ten-
ger; naast haar voel ik me nog groter dan normaal.

'Ik zag je, vanmiddag in de studeerkamer,' zegt
Juni.

'Hoe dan?' Ik frons. 'Je had je ogen dicht.'

'Ik kon door mijn oogleden heen kijken, dat is
onderdeel van de bezwering. Je leek bang. Je rende
weg alsof ik je angst had aangejaagd.'

Ik schuif ongemakkelijk heen en weer.

'Ben je bang dat Derwisj verliefd op me wordt?
Dat ik zijn liefde voor jou van je afpak?'

'Nee,' antwoord ik lachend. 'Dat was het niet.'
'Waarom zag je er dan zo geschrokken uit?'

'Je ogen.' Ik schraap mijn keel. 'Ze zagen eruit als
die van de demonen waarmee ik heb gevochten.'

Juni verstrakt wanneer ik het D-woord uitspreek.
En ontspant zich weer. 'Daar hebben we het niet
vaak over gehad, nietwaar?'

'Nee.'

'Ik word nog steeds achtervolgd door wat er gebeurd is,' fluistert ze. 'Ik doe m'n best om ermee in
het reine te komen, maar het is niet makkelijk. Om
te weten dat er demonen zijn in de wereld... of dat
ze aan de grenzen van onze wereld morrelen... om
ons te pakken te nemen en te vernietigen...'

'Ik weet precies hoe je je voelt. Ik haat ze ook. Ik
ben doodsbang voor ze.' De bekentenis doet me blo-

zen. 'Daarom rende ik ook weg. Ik realiseerde het me pas later, maar jouw ogen deden me denken aan die van een demon. Ik raakte in paniek. Het was onnozel, maar...' Ik haal mijn schouders op.

'Vind je dat ik de ogen van een demon heb?' vraagt Juni in de war gebracht.

'Nee,' zeg ik grinnikend. 'Het was gewoon magie. Derwisj heeft me ooit verteld dat magie van demonen komt, dat de energie die we gebruiken vanuit het universum van de Demonata het onze in is gesijpeld. Elke keer dat we een bezwering uitspreken, tappen we iets van die demonische energie af. En waarschijnlijk zien we er daardoor soms ook zo uit. Het was gewoon de eerste keer dat het me opviel.'

Juni knikt begrijpend. En dan, vanuit het niets, zegt ze: 'Derwisj gaat me vragen om hier in te trekken.'

'O?' Ik knipper met m'n ogen.

'Ik weet niet of ik het moet doen.' Ze ziet er bezorgd uit. 'Het heeft me volkomen verrast. Misschien moeten we het iets rustiger aan doen. Moet ik een tijdje wegblijven. Ons allemaal wat meer tijd en ruimte geven.'

Ik staar haar onbeholpen aan. Ik sta met een mond vol tanden. Ik weet niets van dit soort dingen.

Na een paar seconden lacht Juni en ze legt een hand op mijn knie. 'Sorry. Het is niet mijn bedoeling om jou voor mij te laten beslissen. Ik moest het gewoon hardop zeggen.'

'Ik... ik denk... ik bedoel... Derwisj mag je graag.

Mag je écht graag. Ik... ik denk dat je ja moet zeggen.'

'Jij zou het niet erg vinden?' vraagt ze zacht.

'Nee.'

'Weet je het zeker?' Haar vingers sluiten zich om mijn knie. 'Sinds Derwisj en ik met elkaar omgaan, gedraag jij je anders tegenover mij. Ik wist niet zeker of je onze relatie wel goedkeurde. Ik dacht dat je me niet mocht, dat je niet wilde dat ik –'

'Nee.' Ik onderbreek haar. 'Dat is onzin. Ik... Nee.' Glimlachend: 'Het is wel even wennen, dat je hier rondloopt, maar ik ben er niet tegen. Eerlijk niet. Ik zou het leuk vinden als je bij ons introk.'

Er verschijnt een stralende glimlach op Juni's gezicht. 'Je weet niet half hoe blij ik ben om dat te horen.' Ze leunt naar voren en geeft me een zoen. De blos op mijn wangen wordt nu dieprood en breidt zich uit naar mijn nek. Ze knijpt in mijn neus en staat dan op. 'Vooruit,' zegt ze terwijl ze naar de deur loopt. 'Derwisj kan elk moment thuiskomen. We hebben een extra portie besteld voor het geval je ook wat wilde. Je mag me helpen met de borden klaarzetten.'

Ik loop achter haar aan de trap af, in mezelf grinnikend, opgetogen dat ik het echt niet erg vind als ze hier komt wonen. En voor dit ouwe lege huis lijkt het me ook geen slechte zaak als het wat voller wordt.

Zondagnacht. Juni had gelijk. Derwisj heeft haar gisteravond gevraagd of ze bij ons wil komen wonen. Ze heeft ingestemd, maar wel gezegd dat het om een proefperiode gaat. Ze kijken het een tijdje aan en als het tussen hen niet botert, dan vertrekt ze weer.

Vandaag heeft ze de grote stap gezet. Ze heeft maar weinig spullen. Ze is dit jaar veel op pad geweest, met niet meer dan een koffer bij zich. Ooit had ze een eigen huis, maar dat heeft ze verkocht toen ze op de filmset voor Davida Haym ging werken. Sindsdien heeft ze in hotels gewoond. Ze zegt dat ze hier en daar wat spullen heeft opgeslagen, die ze te zijner tijd kan ophalen, dat het geen haast heeft.

Derwisj is zo blij als een kind met Kerstmis. Toen Juni vanochtend naar het hotel ging om uit te checken, is hij aan het schrobben en poetsen gegaan. Alles moest glimmen en tiptop in orde zijn wanneer ze terugkwam. Hij danste door het huis als een sprookjesfee, hij liep te fluiten en soms zelfs uit volle borst te zingen.

Sta me bij!

Ze zijn naar bed. Het is bijna twee uur. Ze liggen waarschijnlijk al uren te slapen, maar mij lukt het niet om in te dutten. Ik maak me zorgen over lykantropie. Magie. Juni die is ingetrokken en wat er daardoor allemaal gaat veranderen. Loch. Reni. De zwerver. (Ik ben vergeten het aan Derwisj te vertellen.)

Ik sta op en kleed me aan. Ik sluip de trap af en ga naar buiten. Eerst loop ik gewoon en dan begin ik te joggen. Al snel ren ik zo hard als ik kan, zwoegend, mijn adem als mist in de koude nachtlucht. Ik krijg steken in mijn zij. Ik negeer ze en ren door totdat mijn maag in brand lijkt te staan. Uiteindelijk stop ik met rennen en buig me voorover, hijgend als een dorstige hond. Wanneer ik weer normaal kan ademhalen loop ik verder, ditmaal rustig joggend. Ik houd mezelf nu in toom.

's Nachts joggen is lastig. Het bos om me heen is donker. Ik moet uitkijken waar ik mijn voeten zet. Maar ik ben niet bang. De geluiden en de geuren van de nacht jagen me geen angst aan. Hier is het veilig, dit is mijn thuis.

Ik loop niet speciaal ergens heen, ik geniet gewoon van de lichaamsbeweging. Ik laat me leiden door mijn voeten. Ik houd mijn route niet in de gaten, erop vertrouwend dat ik de weg terug weet te vinden.

Dan kom ik voorbij een groepje doornstruiken en zie rotsblokken en hopen aarde liggen – ik ben bij de ingang van de grot. Ik blijf staan en tuur wantrouwend naar het gat. Derwisj heeft geen tijd gehad om het dicht te gooien. Hij heeft er een houten vlonder in gelegd en die met aarde en stenen bedekt zodat niemand erin kan vallen, maar verder is hij niet gekomen.

Voorzichtig loop ik naar het gat, terwijl ik me afvraag of ik er door een externe kracht naartoe ben getrokken of dat het gewoon toeval is. Ik spits mijn oren, maar ik hoor geen gefluister. Ik voel ook niets, geen magische warmte vanbinnen of het gevoel dat ik ben ontboden.

Bij de rand blijf ik staan. Ik tuur de duisternis in en denk aan Loch. Het lijkt zo lang geleden dat we hier aan het rotzooien waren en aan het dromen over de begraven schat van Lord Sheftree. Toen was het allemaal nog eenvoudig. De goede momenten in het leven herken je pas wanneer de slechte zijn aangebroken en je terugkijkt en ontdekt hoe gelukkig je was, hoe simpel het toen allemaal was.

Ik vraag me af waar Loch nu is, of er een hiernamaals bestaat en zo ja, hoe het daar is. Zit hij op een wolk, tokkelend op de snaren van een harp? Is hij aan het worstelen met de engelen? Wordt hij omringd door mooie vrouwen? Weet hij het antwoord op alle vragen in het universum? Is hij teruggekomen als iemand anders of als dier? Of is er niks meer wanneer je eenmaal dood bent? Ik weet dat de mens een ziel heeft, maar verdwijnt die in de vergetelheid op het moment dat het lichaam ermee stopt? Is het leven het begin en het eind van alles wat we zijn? Is Loch –'

'Je bent nog laat buiten.'

Een stem achter me. Met een ruk draai ik me om en ik zie de zwerver, die me half verscholen in de schaduwen staat aan te kijken met een lachje dat nauwelijks zichtbaar is achter de wirwar van samengeklitte baardharen.

'Wie bén jij?' schreeuw ik. 'Waarom achtervolg je me?'

De zwerver doet een stap naar voren en voor het eerst kan ik hem goed bekijken. Donkere huid, maar dat heeft volgens mij meer te maken met vuil dan met pigment. Zwart haar met grijze en witte plukken. Klein van stuk. Gescheurde vingernagels, maar niet onder het vuil, zoals je zou verwachten – zo schoon als de nagels van een chirurg. Kleine ogen, blauw of grijs.

'Je hoort te slapen,' zegt de zwerver. Een zware stem. Moeilijk thuis te brengen accent.

'Wie ben jij?' grom ik opnieuw, terwijl ik met mijn ogen speur naar iets om me mee te verdedigen.

De zwerver loopt langs me heen naar de rand van het gat. Hij tuurt omlaag, zoals ik een paar tellen eerder had gedaan. 'Een graf een koning waardig,' mompelt hij. Dan kijkt hij me aan en er verschijnt een scheve grijns op zijn gezicht. 'Had je iemand in gedachten?'

'Wie ben jij?' vraag ik voor de derde keer, maar ditmaal trilt mijn stem. Dit is geen gewone zwerver. Hij heeft iets machtigs en gevaarlijks over zich.

Zonder op mijn vraag te reageren kijkt de zwerver omhoog – naar de maan. 'Het duurt niet lang meer,' zegt hij nonchalant. Dan loopt hij langs de rand van het gat weg, zonder nog achterom te kijken. Binnen enkele seconden is hij in het struikgewas verdwenen.

Ik blijf een minuut lang als aan de grond genageld staan, huiverend. Dan ga ik er als een speer vandoor, om Derwisj wakker te maken – hij kan de pot op met zijn schoonheidsslaapje – en hem te vertellen over de geheimzinnige, onheilspellende vreemdeling.

Ik ben bijna bij het huis, klaar om mezelf schor te schreeuwen over de zwerver, wanneer ik langzamer ga lopen, frons en blijf staan.

Misschien weet Derwisj het al.

De zwerver wist wie ik was. Ik ben er vrijwel van overtuigd dat hij ook op de hoogte is van de grot en wat er daar is gebeurd. En hij was beslist op de hoogte van de maan en wat die voor een effect op me heeft, dat bleek wel uit zijn spottende toon. Stel dat hij een dienaar van Lord Loss was, dan zou dat de volmaakte plek zijn geweest om me te grazen te nemen. Ik was alleen. Ik wist pas dat hij er was toen hij iets zei. Hij had me kunnen neerknuppelen of een verdovend middel kunnen inspuiten. Dat heeft hij niet gedaan. Ik betwijfel dus of hij onder een hoedje speelt met de demonenmeester. Maar dan kon hij die dingen alleen weten als iemand het hem heeft verteld. En dat kan alleen maar Derwisj zijn geweest.

Flashbacks. De studeerkamer... Derwisj aan de telefoon... hoe ik daarna naar binnen ben gegaan... de zwarte map met de nummers en de namen.

De zwerver moet een van de Lammeren zijn. Een verkenner, gestuurd om een oogje in het zeil te houden. Derwisj had beloofd een tovenaar om hulp te vragen, maar in plaats daarvan heeft hij de Lammeren gebeld, voor de zekerheid, voor het geval ik in een weerwolf verander en hij het niet in zijn eentje af kan. Sindsdien heeft de zwerver me geschaduwd, klaar om snel in te grijpen als het nodig is.

Ik ga naar binnen en sluip de trap op. Ik maak Derwisj niet wakker en ik vraag hem niet naar de zwerver. In plaats daarvan kleed ik me uit en kruip in bed. Koud. Verstijfd. Lamgeslagen. *Alleen.*

Een gedeeld geheim

Het is één grote mist. School, de gesprekken met mijn vrienden, gelukkig gezinnetje spelen met Derwisj en Juni. Om me heen gaat het leven gewoon door en ik doe eraan mee, net als altijd. Maar ik ben er niet bij. Voortdurend ben ik aan het piekeren over de maan, de grot, de zwerver, Derwisj die (mogelijk) achter mijn rug plannen aan het maken is. Aan het wachten totdat de verandering toeslaat. 's Avonds ga ik gespannen naar bed en lig ik me in het donker af te vragen of ik al aan het veranderen ben. Paniek wanneer er een spiertje trekt in een van mijn vingers of mijn maag rommelt. Doodsangst wanneer mijn lippen als in een wolvengrijns langs mijn tanden omhoog komen – en dan opluchting wanneer ik me realiseer dat ik alleen maar gaap.

Ik heb het er een beetje met Derwisj over gehad, maar ik voel weerzin om hem alles te vertellen. Hoe meer ik erover nadenk, des te zekerder ik ben: hij heeft de Lammeren gebeld. Ik neem het hem kwalijk. Daar is niet echt reden toe. Het is niet zo dat hij zijn handen van me aftrekt. Ik weet zeker dat hij extra voorzichtig is, dat hij ze pas laat ingrijpen als ik niet meer te redden ben. Maar waarom heeft hij ze nu al laten komen? Met Bill-E heeft hij dat niet gedaan. Toen heeft hij ze in onwetendheid gelaten. Zolang er nog hoop was, heeft hij het in eigen hand gehouden. Ik was ervan overtuigd dat hij het bij mij op dezelfde manier zou aanpakken.

Natuurlijk, ik ben anders. Bij mij is de route via Lord Loss geen optie meer. De vorige keer heeft Derwisj de Lammeren niet opgetrommeld omdat hij van plan was te vechten voor Bill-E's menselijkheid. Als hij won, zou Lord Loss Bill-E genezen. Als hij verloor, zouden ze allebei door de demonenmeester worden afgeslacht. In beide gevallen was er dus geen reden om de Lammeren in te schakelen. Dat geluk heb ik niet. In mijn geval is er geen ontsnappingsclausule.

En dan is er nog de magie. Derwisj kan een gewone weerwolf wel aan, maar misschien niet een die over magische krachten beschikt. Misschien is hij bang, weet hij niet zeker hoe ver mijn vermogens reiken als ik eenmaal ben veranderd, vertrouwt hij er niet op dat hij me in zijn eentje aankan, wil hij de zekerheid van een back-up. Niet meer dan logisch. Ik kan het hem niet verwijten.

Toch voel ik me verraden en dat gevoel raak ik niet kwijt. Ik zou met hem moeten praten, zeggen dat ik weet dat hij de Lammeren heeft ingeschakeld, dat ik teleurgesteld ben, hem de mogelijkheid bieden het uit te leggen.

Maar ik doe het niet. Ik ben bang om erover te beginnen, net als toen ik voor het eerst magie in me voelde en het geheimhield. Tegen alle redelijkheid in hoop ik dat ik het mis heb wat de zwerver betreft, dat het allemaal niet zo'n vaart loopt, dat ik nog gered kan worden. Dat als ik mijn mond erover houd, het allemaal weer overgaat.

Grubbs Grady – mensgeworden struisvogel!

* * *

Nog een week.

Vandaag, bij de lunch, wanneer we alleen zijn, vraagt Reni of er iets is. Ik besteed niet de aandacht aan haar die ze verwacht. Ze wil weten of ik niet meer in haar geïnteresseerd ben, of er iemand anders is aan wie ik denk of met wie ik omga. Ze brengt het luchtig, probeert er een grapje van te maken, maar ik zie het wantrouwen en de pijn in haar ogen.

Ik lieg. Ik zeg dat er niets is veranderd. Ik verontschuldig me. Zeg dat mijn leven op dit moment nogal verwarrend is – Lochs dood (niet dat ik het zo bot zeg), Juni die bij Derwisj intrekt. Ik heb het zelfs over het examen en mijn toekomst en doe alsof ik loop te piekeren over de richting die ik moet kiezen.

Ze slikt het. Ze denkt dat ik in een 'midjeugdcrisis' zit, dat het niets met haar te maken heeft. Ze is bereid te wachten totdat het beter met me gaat. Ze vertrouwt erop dat ik, als mijn problemen eenmaal zijn opgelost, weer meer werk van haar zal maken. Niet beseffend dat dat wel eens het met-mijn-tanden-haar-strot-openscheuren soort van werk zou kunnen zijn – stel dat ik volgend weekend in een weerwolf verander.

Ik loop langzaam naar huis en houd mijn ogen open

voor de zwerver. Sinds die avond bij de grot heb ik op verschillende plekken een glimp van hem opgevangen: bij school, op straat in Carcery Vale, een keer tussen de bomen onder mijn slaapkamerraam. Hij blijft nu wel op veilige afstand. Hij heeft sindsdien geen contact meer gemaakt. En hij gaat ervandoor als ik contact probeer te maken.

Het verbaast me dat hij die ene keer tegen me heeft gepraat. Misschien gebeurde het per ongeluk – laat op de avond, op wacht in het bos, bij de plek waar een tragisch ongeval had plaatsgevonden. Het kan zijn dat hij geraakt was en onbedoeld iets zei. Ik ben ervan overtuigd dat zelfs de beulen van de Lammeren bij tijd en wijlen menselijke zwakheden vertonen.

Mijmerend over de zwerver en de Lammeren ga ik naar binnen. Ik vraag me af hoe ze weerwolven doden. Ik stel me voor dat het klinisch en weinig spectaculair gebeurt, waarschijnlijk met een sterk gif dat op humane wijze wordt ingespoten. Maar de horrortaferelen blijven zich aan me opdringen – ik word belaagd door hordes Lammeren, die als zwervers zijn verkleed en me met machetes en knuppels aanvallen, en sterf een langzame, vernederende, pijnlijke dood.

'Grubbs!' roept Derwisj op het moment dat ik de trap op ga.

Ik word uit mijn zwartgallige fantasieën gerukt.

'Kun je even komen als je zover bent?'

'Oké.' Ik ga de trap op naar mijn kamer. Gooi mijn tas in een hoek en trek snel mijn uniform uit. Een paar seconden later heb ik een spijkerbroek en een slobbertrui aan. Ik ga op mijn sokken de trap weer af naar de televisiekamer, waar Derwisj en Juni op een van de banken zitten, gespannen en met ernstige gezichten.

Ik ga zitten, op mijn hoede. Ik kijk hen aan en zij mij. Een lange, schuurderige stilte. Dan begint Derwisj te praten, gehaast.

'Ik heb Juni over je verteld. Over óns. De familievloek. Wat er onlangs met je is gebeurd.'

Ik knipper traag met mijn ogen en werp een blik op Juni. Onmogelijk te zeggen wat ze denkt. Op haar gezicht staat haar ondoorgrondelijkste schoolpsychologenuitdrukking.

'Ik heb er lang over nagedacht,' zegt Derwisj terwijl hij naar voren leunt. 'Het zou eenvoudig zijn geweest om Juni te vragen volgend weekend weg te gaan en haar erbuiten te houden. Eenvoudig en veilig.' Hij kijkt haar aan. Ze glimlacht kort en legt haar hand op de zijne. 'Maar we hebben haar hulp nodig. Ik weet niet waarom, maar je praat niet meer met me. Sinds een week of twee doe je teruggetrokken, humeurig, nors. Het kan gewoon de angst zijn. Maar ik denk dat er meer aan de hand is. Je hebt me buitengesloten alsof je iets tegen me hebt en dat is niet goed. Ik moet weten wat je denkt en voelt. Ik kan je niet helpen als ik niet weet wat er in je omgaat.'

'En je denkt dat Juni het er wel uit kan krijgen,' zeg ik stroef. 'Ze legt me op de sofa, kruipt m'n hersenen in en peutert de waarheid eruit.'

'Misschien,' mompelt Derwisj.

'We hebben alleen maar het beste met je voor,'

zegt Juni. 'Dit is een moeilijke tijd voor je. Derwisj wil je helpen. Ik ook. Als je problemen hebt met je oom, of met mij, kun je die beter op tafel leggen. En als het iets is wat je niet met Derwisj wilt bespreken, kun je het mij misschien onder vier ogen vertellen.'

'Van cliënt tot therapeut?' snier ik.

'Als je dat wilt,' antwoordt ze kalm. 'Ik zou het liever informeel willen houden, als vrienden, maar als je wilt kunnen we het professioneel doen, met de garantie van geheimhouding.'

'Mij maakt het niet uit,' zegt Derwisj. 'Ik wil alleen maar dat je het volgende week overleeft. Als ik je iets heb misdaan en je wilt het er niet met me over hebben, oké. Maar je hoeft Juni niet ook buiten te sluiten. Als je mij niet moet, kun je toch nog wel met haar praten?'

'En als er geen probleem is?' mompel ik. 'Stel dat ik alleen maar doodsbang ben dat ik in een weerwolf verander, maar het er niet over wil hebben?'

'Dat zou volkomen begrijpelijk zijn,' zegt Juni. 'Maar zolang je daar niet honderd procent zeker van bent, moet je er met iemand over praten. Het kan heel bevredigend zijn om het met iemand over je angsten te hebben. Dat weet je, Grubbs. Zo naïef ben je niet. Het is niet slim om het in je eentje te willen opknappen.'

'Vooral niet omdat er misschien niets op te knappen valt,' zegt Derwisj.

Ik kijk hem met opgetrokken wenkbrauwen aan. 'Misschien verander je niet. Juni denkt...' Hij stopt met praten en kijkt haar aan.

'Het feit dat mensen in jullie familie het slachtoffer zijn van een ziekte waarbij het lichaam verandert – ik weiger hen weerwolven te noemen, dat is
een nogal hysterische term – betekent nog niet dat
jíj gaat veranderen,' zegt Juni. 'Als ik je zo hoor, lijk
je in de problemen te zitten, maar zeker weten doen
we het niet. In plaats van een fysiek probleem zou
het ook een psychisch probleem kunnen zijn.'

'Jij denkt dat ik het me heb verbeeld,' zeg ik
kwaad.

'Het is mogelijk,' antwoordt Juni. 'Ook gewone
mensen kunnen zich lelijk door hun hersenen laten
foppen – en jij bent verre van gewoon! Wat jij allemaal niet hebt meegemaakt... om op zo jonge leeftijd zo veel van de wereld, en van andere werelden,
te hebben gezien... om de mensen van wie je houdt
op zo'n afgrijselijke manier te verliezen en dan voor
het leven van je broer te moeten vechten... wat er
met ons is gebeurd in Slagtenstein... Ongelooflijk
hoe groot jouw veerkracht is. Je bent een van de
sterkste mensen die ik ken en dat zeg ik niet om je
ego te strelen. Je bent ongelooflijk, Grubbs.'

Ik glimlach onhandig, ik bloos en de tranen wel-
len op in mijn ogen. Een deel van me wil opsprin-
gen en haar omhelzen. Een ander deel wil dat ik het
compliment wegwuif en cool reageer. Het draait erop uit dat ik blijf glimlachen, blozen en zachtjes huilen.

'Maar ook bij sterke mensen is er een punt waarop het te veel kan worden,' vervolgt Juni. 'Misschien
was dat bij jou Lochs dood. Of misschien is er iets
anders, iets kleins waar je je niet eens bewust van

bent. Misschien ben je aan het veranderen, maar misschien ook niet. Daar wil ik achter zien te komen. Over een week weten we het zeker. Maar in één week kunnen we een hoop doen. Het zou een heleboel uitmaken als blijkt dat je je wat die verandering betreft vergist.'

'En als ik me niet vergis?' vraag ik gespannen.

Juni begint te stralen. 'Dan zullen we een zilveren kogel door je voorhoofd moeten jagen.'

Ik lach hard. Derwisj ook.

'Ze heeft mijn gevoel voor humor al overgenomen,' grinnikt Derwisj trots.

'Je zegt het alsof dat positief is.'

'Jongens, jongens,' zegt Juni sussend. 'Laten we niet te veel afdwalen. Grubbs, accepteer je mijn aanbod? Wil je het er onder vier ogen met me over hebben als er iets is wat je niet tegen ons samen wilt zeggen? Als vriendin, en anders als professionele hulpverlener?'

Ik sta op het punt om het eruit te gooien, om hun te vertellen dat ik op de hoogte ben van de Lammeren, dat ik daarom zo kribbig doe. Maar dat zou een confrontatie met Derwisj betekenen. Dan zou ik recht in zijn gezicht moeten toegeven dat ik me door hem verraden voel. Dat kan ik niet, niet na alles wat hij voor me heeft gedaan. Stel dat ik het mis heb, dan zou het hem veel pijn doen om me zo over hem te horen spreken.

En dus houd ik me bij Juni's aanbod, laat ik mijn hoofd zakken om mijn emoties te verbergen en mompel: 'Oké, het lijkt me goed om met je te praten.'

'Dank je wel,' zegt Juni.

'Mooi zo,' voegt Derwisj eraan toe.

En de rest van de avond doen we alsof alles in orde is en al onze problemen de wereld uit zijn.

Lange gesprekken met Juni overdag op school en 's avonds thuis. Niet alleen over Loch. Allerlei onderwerpen passeren de revue: mijn verleden, mijn ouders, Gret, Lord Loss, de inrichting, mijn leven met Derwisj, Bill-E's verandering in een weerwolf, Slagtenstein. Alles wat we niet eerder hebben besproken, omdat ze toen alleen geïnteresseerd was in het helpen verwerken van Lochs dood.

We hebben het uitvoerig over magie, de energie die ik soms in mijn buik voel, wat ik ermee heb gedaan, hoe ik me voelde toen de magie door me heen stroomde. Met goedkeuring van Derwisj doet Juni een paar tests om te kijken of ze contact kan maken met mijn magische kern, om erachter te komen wat er vanbinnen gebeurt, welke vermogens ik bezit. Maar er komt niets uit. Als de magie er nog is, zit die te diep weggeborgen om er contact mee te krijgen.

Ze besteedt ook veel tijd aan het bestuderen van de Demonata. Ze bestookt Derwisj met vragen en wil alles over hen te weten komen. Ze is vooral geïnteresseerd in Lord Loss: als hij in staat is de lykantropievloek te genezen, dan ziet ze niet waarom wij dat niet ook zouden kunnen.

'Wij zijn niet krachtig genoeg,' laat Derwisj haar weten.

'Misschien is het gewoon een kwestie van de juiste bezweringen kennen,' oppert Juni.

'Ik denk het niet,' zegt hij. 'Dan zou Bartholomeus Garadex ze wel ontdekt hebben. Hij was vastberaden om een eind te maken aan de vloek, maar het liep op niets uit. Om de bezwering ongedaan te maken heb je een demonenmeester nodig.'

'Maar –'

'Nee,' houdt Derwisj vol. 'Bartholomeus was eeuwenlang de machtigste tovenaar van de wereld. Als hij het niet kon, dan kunnen wij het ook niet. Als we die weg inslaan, verdoen we onze tijd.'

'En als we Lord Loss nog eens probeerden?' vraagt ze. 'Misschien wil hij zich een tweede keer laten uitdagen voor een schaakwedstrijd.'

'Nee.' Derwisj laat een kort lachje horen. 'Dat is geen optie.'

'Maar als hij de enige is die Grubbs' verandering ongedaan kan maken...' dringt Juni aan.

'Het is geen optie,' zegt Derwisj nogmaals. Resoluut. Einde discussie.

Ik vind de gesprekken met Juni leuk. Ze is anders dan toen ze me alleen nog maar hielp met de verwerking van Lochs dood. Magie is haar ding, dat is wat haar echt interesseert. Ze is opener wanneer we het over bezweringen en demonen hebben. Ze laat haar reserves varen en behandelt me niet meer als haar cliënt. Soms is het alsof we het meer over haar en magie hebben dan over mij en mijn problemen, maar dat vind ik niet erg.

Vanuit haar functie als schoolpsycholoog voert ze nog steeds gesprekken met Bill-E en een aantal van mijn vrienden, maar minder vaak dan eerst. Aan het eind van deze week moet ze weg van onze school. Misery komt niet terug, maar hij wordt vervangen door een andere schoolpsycholoog. Juni heeft gedaan wat ze hier kwam doen. Het is tijd voor een andere baan, een nieuwe uitdaging. Maar daar gaat ze na het weekend pas over nadenken. Eerst wil ze zien wat er met me gebeurt wanneer de volle maan aan de hemel staat.

Donderdag. Opnieuw word ik getest op mijn magische potentieel. Derwisj is in de keuken, om ons niet voor de voeten te lopen. Juni probeert iets nieuws uit. Tot nog toe heeft ze het rustig aan gedaan, voorzichtige pogingen ondernomen, is ze een beetje aan de oppervlakte gebleven. Vanavond wil ze dieper gaan.

'Ontspan je,' zegt ze. Ze staat achter het krukje waar ik op zit. 'Maak je geest leeg.' Ze legt haar handen op mijn hoofd. 'Ik ga je uitdagen.' Haar vingers glijden naar mijn nek en haar nagels krassen over mijn huid, lichtjes. 'Ik ga in je vlees prikken en porren terwijl ik met mijn magie probeer binnen te komen. Op die manier vergroot ik de irritatie, in de hoop dat er van binnenuit een reactie komt, iets wat me naar buiten wil werken en laten ophouden met je pijn te doen.'

'Pijn doen?' herhaal ik ongemakkelijk.

'Maak je geen zorgen.' Ik voel haar glimlach. 'Ik zal je niet echt pijn doen. Vertrouw me maar.'

Ze masseert mijn schouders. Eerst is het lekker, maar dan zet ze haar duimen in mijn vlees. Ze baant zich een weg omlaag langs mijn armen, knijpend, krabbend. Niet ondraaglijk. Gewoon irritant, zoals ze zei.

Ondertussen mompelt ze bezweringen. Ik voel de magie mijn lichaam in sijpelen, een vreemde sensatie direct onder mijn huid. Alsof mijn been slaapt, maar dan over mijn hele lichaam.

De minuten tikken voorbij. Juni masseert. Mijn rug, mijn borst, mijn benen. De prikkeling is nu heel sterk, mijn lichaam beweegt krampachtig heen en weer. Ik wil dat ze stopt en ik vraag me af of ik iets moet zeggen of gewoon mijn tanden op elkaar moet zetten en sterk zijn. Eindelijk, wanneer ik op het punt sta me over te geven, laat ze me los.

'Niets,' zegt ze en ze klinkt teleurgesteld. Ze legt een paar vingers op mijn linkerwang. 'Je mag je ogen open doen.'

Terwijl ik mijn ogen open, zie ik dat ze naar me kijkt. Het is een vreemde blik. Alsof ze denkt dat ik aan het liegen ben. Een afkeurende blik. Er zit zelfs een zweem vijandigheid in.

'Het was er echt,' zeg ik, terwijl ze haar vingers van mijn wang haalt.

'Ik geloof je,' zegt ze en het wantrouwen verdwijnt van haar gezicht.

'Misschien komt het morgen wel terug of overmorgen. Wanneer de maan...' Ik knik in de richting van het raam, waar de gordijnen het licht van het bijna volle hemellichaam buitensluiten.

'Wie weet,' zegt ze. 'De maan heeft absoluut invloed op magie. De meeste magiërs ervaren met volle maan een golf extra energie. Maar het is vreemd dat er bij jou geen enkel teken zichtbaar is.'

Ze komt naast me zitten. Ze tilt een hand op en woelt door mijn haar. Ze glimlacht lief en fluistert dan: 'Vertel me je geheim. Dat waar je het niet met Derwisj over wilt hebben. Ik heb het je niet eerder gevraagd en zal het ook niet meer vragen als je geen antwoord geeft. Maar ik denk dat je het eigenlijk wel wilt vertellen.'

Mijn mond wordt droog. Mijn hart gaat tekeer. Ik was niet van plan het haar te vertellen. Ik wilde het geheim houden. Maar nu ze het vraagt, besef ik dat ze gelijk heeft. Ik wil mijn geheim met haar delen. Verdomme, ik voel opeens een diep verlangen om uit de school te klappen.

'Hij heeft de Lammeren gebeld,' zeg ik met hese stem.

'De Lammeren?' Juni fronst. 'Wat heeft dit met schapen te maken?'

'Geen schapen. Familiebeulen. De Lammeren. Wanneer een van ons verandert... als de ouders hun kind niet meer in leven kunnen houden, maar het zelf niet kunnen doden, dan doen de Lammeren het.'

'Ah. Ik herinner het me. De droom in Slagtenstein. Hun laboratorium.' De frons op haar voorhoofd wordt dieper. 'Je denkt dat Derwisj ze heeft opgetrommeld? Dat hij tegen je samenzweert?'

'Niet samenzweren,' mompel ik. 'Maar als ik verander en hij heeft me niet meer in de hand, denk ik dat hij wil dat ze me doden. Hij zei dat hij een tovenaar om hulp ging vragen, maar dat heeft hij niet gedaan. In plaats daarvan heeft hij de Lammeren gebeld. En dat is... nou ja... niet echt *oké*, maar ik begrijp het wel. Ik wilde alleen maar dat hij nog even had gewacht. Of dat hij het me had verteld.'

'Hij heeft het niet tegen je gezegd?'

'Nee.'

'Hoe weet je het dan?'

Ik vertel Juni over het telefoongesprek, de zwarte map, de zwerver. Ze vraagt me een beschrijving te geven van de zwerver, maar ik kom niet verder dan wat vage kenmerken.

'Weet je zeker dat het een van de Lammeren is?' vraagt ze twijfelend.

'Vrijwel zeker.'

'Hij heeft het niet gezegd?'

'Nee. Maar hij achtervolgt me. Ik zag hem bij ons huis. En bij de grot.' We hebben haar over de grot verteld, over hoe Loch werkelijk is gestorven. Derwisj is er met haar naartoe gegaan, zodat ze een indruk kon krijgen. Een enkele teug magie van die plek en ze gaf toe dat hij het juiste had gedaan, dat de grot voor de wereld verborgen moest worden. 'Waarom zou hij me volgen als hij niet een van de Lammeren is?'

'Er bestaan allerlei soorten mensen,' zegt Juni. 'Ook mensen die om duistere, maar geenszins bovennatuurlijke, redenen jongens achternalopen.'

'Ik weet het.' Ik schuif ongemakkelijk heen en weer. 'Maar het is wel heel toevallig dat die zwerver juist op dit moment in me geïnteresseerd raakt.'

'Soms heb ik de indruk dat de wereld van toevalligheden aan elkaar hangt.' Juni klopt op mijn hand. 'Maak je geen zorgen over die zwerver. Ik houd wel een oogje op hem. En ik zal me ook met

Derwisj bezighouden om erachter te komen of hij de Lammeren echt heeft gebeld.'

'Je vertelt hem toch niet wat ik tegen jou heb gezegd?' vraag ik gealarmeerd, want ik wil niet dat hij denkt dat ik achter zijn rug aan het kwaadspreken ben.

'Ik zal discreet te werk gaan,' beloof Juni en ze staat op.

'Juni...' Ik houd haar tegen. 'Als je erachter bent... of hij ze inderdaad heeft gebeld... vertel je me dan de waarheid?'

Een lange pauze. Dan: 'Wil je het echt weten?'

'Ja.'

'Stel dat hij ze gebeld heeft, kun je dat wel aan?'

'Ja.'

Ze glimlacht en raakt mijn wang weer aan. 'Je bent zo moedig,' fluistert ze en ze haalt haar hand weer weg. 'Ik zal het je vertellen. Ik beloof het. Geen leugens. Je kunt me altijd vertrouwen, Grubbs, met alles – zelfs als je Derwisj niet kunt vertrouwen.'

Ziek als een hond

Koortsrillingen. *Vette pech*. Derwisj en Juni houden me uit alle macht tegen het bed gedrukt. Ze praten aan een stuk door en gebruiken een hele voorraad handdoeken om het zweet van mijn gezicht te vegen. Juni mompelt kalmerende bezweringen die niets uithalen.

Vrijdag. Het is de avond vóór volle maan. De misselijkheid sloeg op school toe, tijdens de natuurkundeles. Ik moest rennen om de wc te halen. Wat mislukte. Ik heb hevig staan kotsen tegen de deur van het lokaal. Een hoop gejuich van de jongens en geschokte kreten van de meisjes. Ik ben niet blijven wachten op de preek van meneer Clifford. Ik ben er als een haas vandoor gegaan naar de wc en heb daar tien minuten gezeten, in innige verstrengeling met een plastic wc-bril.

Juni heeft me opgehaald. Onderweg heb ik twee keer in een zak overgegeven. Daarna had ik niks meer om over te geven. Maar Juni laat me liters water drinken, zodat er af en toe een helder zuur vocht naar boven komt.

'Het komt allemaal goed,' liegt Derwisj.

Hij grijpt me bij mijn schouders wanneer ik het uitschreeuw van de pijn. Het is alsof er in me een tweede lichaam groeit, dat zich met geweld een weg naar buiten baant.

'Ik zou een slaapbezwering kunnen proberen,' oppert Juni.

'Doe niet zo stom,' blaft Derwisj. 'De enige reden dat hij nog niet is veranderd, is dat hij zo godvergeten hard vecht. Als hij slaapt kan hij niet vechten.'

'Sorry. Ik dacht niet na. Ik vind het gewoon vreselijk om hem zo te zien lijden.'

Ik stoot een rauwe kreet uit – het is alsof mijn hoofd in tweeën wordt gekliefd. Ik ben me vaag bewust van de hitte in mijn buik, het magische vuur dat er vorige maand ook was. Het bestrijdt de wolfse verandering, houdt me menselijk, weerstreeft de eisen van het beest. Ik ben niet in staat het aan Derwisj en Juni te vertellen. Ik kan niet meer praten. Alleen nog maar krijsen.

Uren later. De maan begint te zakken. Een moment van rust na een eeuwigheid van gekte. De lakens zijn op verschillende plaatsen gescheurd. Derwisj heeft een snee boven zijn linkeroog en op zijn beide wangen zitten blauwe plekken.

'Heb... ik... dat gedaan?' kreun ik.

'Nee hoor,' zegt hij met een stalen gezicht, terwijl hij voorzichtig water in mijn mond giet. 'Ik ben tegen de kastdeur aan gelopen.'

'We dachten dat we je kwijt waren,' zegt Juni en ze knijpt in mijn hand. Ik heb haar voorhoofd opengekrabd, maar het is geen diepe snee.

'De... magie,' breng ik er hijgend uit. Ze bevriezen. 'Hebben... jullie het... gevoeld?'

'Nee,' antwoordt Derwisj.

'Het... was er. Zo... vecht ik. Anders... was ik... veranderd.'

'Juni?' zegt Derwisj vragend.

'Ik voelde wel íéts,' zegt ze aarzelend. 'Ik wist niet zeker of het magie was, of de energie die werd opgewekt door de... de verandering.'

'De weerwolf,' grinnik ik zwakjes. 'Kom op... zeg het maar... voor één keer.'

'Dat soort schepsels bestaan niet,' zegt Juni verongelijkt.

Ik wil reageren, maar de pijn slaat weer toe, diep vanbinnen. Ik klap dubbel. Het water komt bijna net zo snel weer omhoog als het omlaag is gegaan. Het raakt Derwisj recht in zijn gezicht. Hij negeert het en duwt me tegen de matras aan, begint weer snel tegen me te praten, probeert me gerust te stellen. Zijn woorden zijn niet meer dan een vaag gemompel dat nauwelijks boven mijn eindeloze reeks gekwelde kreten uitkomt.

In me grauwt en klauwt het monster naar mijn huid. Het kan niet praten – het is een wild beest – maar ik voel wat hij wil zeggen en vertaal het in woorden. *Laat me gaan*, zou het gebiedend klinken. *Maak een eind aan de pijn. Bevrijd me. Word wat je moet worden. We kunnen er als één vandoor gaan en heerser van de nacht zijn.*

'Nee!' brul ik terug en ik knuppel hem neer met de vuisten van een magie die ik niet begrijp.

Je kunt me niet verloochenen.

'Rot op!' is mijn welbespraakte reactie.

De innerlijke strijd raast voort, maar ik heb het gevoel dat ik aan de winnende hand ben. De invloed van de maan wordt zwakker. Het schepsel heeft de strijd verloren. Maar er komt nog een nacht en dan zal het sterker zijn. Misschien wel te sterk.

Je kunt me niet verloochenen, bijt het monster me vanaf een plek diep vanbinnen toe, dieper dan zou mogen. *Dit is wat we zijn. Dit is onze bestemming.*

'Ik bepaal zelf wel wat mijn bestemming is,' mompel ik. Ik blijf waakzaam, klaar om te vechten mocht het een laatste aanval doen. Maar dat doet het niet. De zon komt op. De maan heeft haar glans verloren. Ik heb gewonnen – voorlopig.

Vermoeid kom ik overeind. Derwisj en Juni kijken me wantrouwend aan. Ze zijn allebei uitgeput. En op diverse plekken gebutst, gestriemd en opengekrabd.

'Wat is er met jullie gebeurd?' vraag ik spottend.

'Nu krijgt hij weer een grote mond,' zegt Derwisj nors. 'De afgelopen acht of negen uur was het een en al gekrijs en doodsangst, de hel op aarde. En als de zon opkomt denk je dat je weer grappen kunt maken, alsof je ons geen doodsangsten hebt doen uitstaan.'

We kijken elkaar koel aan, en barsten dan in lachen uit.

'We hebben het overleefd!' roep ik uit.

'Je hebt hem verslagen!' gniffelt Derwisj en hij pakt me stevig beet.

Juni kijkt toe en glimlacht vermoeid.

Wanneer Derwisj me loslaat, val ik weer achterover en staar naar het plafond.

'Hoe voel je je?' vraagt Derwisj. 'Of is dat een domme vraag?'

'Nee,' zeg ik zuchtend. 'Ik voel me niet slecht. Moe, maar niet zo doodop als jij en Juni eruitzien. Om eerlijk te zijn: ik heb honger.'

'Als je denkt dat je ontbijt op bed krijgt, zul je lelijk op je neus kijken,' zegt Juni bits. Derwisj en ik giechelen.

'Het was raar,' mompel ik, terwijl ik in gedachten terugga naar het gevecht, met name het eind, toen het leek alsof het monster tegen me sprak. 'Alsof ik vanbinnen met iemand anders aan het vechten was, íéts anders. Maar het was echt vechten. Alsof die ander er echt was. Mijn lichaam was de ring en we bevonden ons met z'n tweeën tussen de touwen. Het was het zwaarste gevecht van m'n leven.'

'Voor ons als toeschouwers was het ook geen eitje,' zegt Derwisj en hij betast zijn gekneusde wangen. 'Je hebt ons door de mangel gehaald. Ik weet dat je een reus in wording bent, maar zo veel kracht had ik je niet gegeven.'

'Het was erger geweest als het monster had gewonnen,' zeg ik zacht. 'Ik kon hem voelen. Zó sterk. Zonder de magie zou hij over me heen zijn gewalst, was hij losgebroken, had hij zich op jullie geworpen. Vannacht… wanneer de maan vol is…'

'Denk daar nog maar niet aan. We doen dit stapje voor stapje. Laten we ons nu concentreren op onze overwinning. We houden ons met de volgende ronde bezig als het zover is.' Hij staat op, strekt zich uit en kreunt.

'Ga maar naar bed,' zegt Juni glimlachend. 'Je

hebt hard gewerkt en de meeste slagen geïncasseerd. We moeten vandaag alle twee flink bijslapen, maar jij nog meer dan ik.'

'Met mij is alles in orde,' zegt Derwisj, waarna hij wankelt en bijna omvalt.

Juni vangt hem op. 'Naar bed,' zegt ze streng.

'Ja juf,' zegt Derwisj zuchtend. 'Ga je mee?'

'Ik kom zo. Ik wil nog even bij Grubbs blijven.'

Derwisj loopt naar de deur, kreunend en zijn onderrug masserend.

Juni kijkt hem na en inspecteert vervolgens haar eigen verwondingen. Ze mompelt bezweringen en strijkt met haar vingers over de ondiepe sneeën op haar armen. Ze genezen direct. De wonden sluiten zich keurig en alleen een vage rode streep verraadt dat er een snee heeft gezeten.

'Gave truc.'

'Een handige bezwering.' Ze loopt haar hals en gezicht langs. 'Bij een gapende wond werkt het niet, maar bij ondiepe sneeën als deze is het ideaal. Beter dan pleisters of verband. Ik zal Derwisj straks oplappen.'

Wanneer ze klaar is richt ze haar aandacht op mij. Ze strijkt het haar uit mijn ogen. Geneest de snee op mijn voorhoofd. Ze wrijft over de huid om te zien of het in orde is en zegt dan zacht: 'Hij was doodsbenauwd. Ik ook, maar niet zo erg als Derwisj. Hij houdt echt van je.'

'Ik weet het.'

'Hij zou zijn leven voor je geven als dat de situatie kon veranderen.'

Ik kijk haar zwijgend aan. Er staan tranen in haar

ogen. Instinctief weet ik waarom ze dit zegt, waarom ze hem verdedigt zonder dat daar aanleiding toe lijkt te zijn. 'Hij heeft de Lammeren gebeld,' fluister ik.

Ze knikt ongelukkig. 'Hij heeft het uiteindelijk toegegeven. Hij wilde hen er niet bij betrekken. Maar als jij verandert, moet je worden gedood. Hij kan dat niet, hij kan zijn eigen neef niet doden. En dus, hoezeer hij hen ook verafschuwt...'

'Het is oké,' zeg ik en ik dwing mezelf tot een flauwe glimlach. 'Hij had geen keus.'

'Ik denk het niet.' Ze zucht en slaat haar ogen neer. 'Ik had ooit een zoon.'

Ik knipper met mijn ogen, niet wetend hoe ik moet reageren op deze verbijsterende, onverwachte bekentenis.

'Een schat van een kind. Hij was mijn lust en mijn leven. Een paar maanden voor zijn tweede verjaardag is hij in zijn slaap overleden. Een hersenaandoening. Zonder dat er van tevoren signalen waren geweest. Niemand had er iets aan kunnen doen.'

Ze barst in tranen uit. Ik klop haar onhandig op haar rug en wilde dat ik haar pijn met woorden kon wegnemen. Ik voel me nuttelozer dan ooit. Uiteindelijk krijgt ze haar zelfbeheersing terug en veegt ze haar wangen droog.

'Ik ben er bijna aan onderdoor gegaan,' zegt ze met hese stem. 'Ik heb het overleefd, maar op het nippertje. Ik ben kinderpsycholoog geworden, zodat ik dicht bij andere kinderen kon zijn en mijn eigen pijn kon verlichten door ze te helpen met die van hen.' Ze lacht schor. 'Ik heb ooit gezegd dat jij psychologisch gezien ongekunsteld bent. Nou, zelf ben ik ook een open boek. Als er iets fout gaat in mijn leven, vlucht ik in mijn werk. Ik gebruik het om mezelf uit het zwarte gat te hijsen waar ik in ben gevallen.'

Ze pakt mijn handen beet en knijpt erin, harder dan verwacht. 'Toen Derwisj me vroeg om bij hem in te trekken, was ik verrukt, niet alleen omdat ik van hem houd, maar ook omdat het inhield dat ik een moeder voor jóú kon worden.' Ze laat mijn linkerhand los, kijkt me liefdevol aan en aait me over mijn wang. 'Ik ben steeds op zoek geweest naar een zoon voor wie ik een moeder kon zijn, maar tot nog toe was het me niet gelukt.'

De glimlach verdwijnt. Ze laat ook mijn andere hand los en staat op. 'Ik zal je niet in de steek laten,' zegt ze, en ik ben verrast door de dreiging die in haar stem doorklinkt. 'Ik lever je niet uit aan de Lammeren, niet zolang er nog een sprankje hoop is. Ik zal tot het eind toe achter je blijven staan, tot het bittere eind. Zelfs als Derwisj het opgeeft.'

Dan is ze verdwenen. Ik staar haar met open mond en gonzende zintuigen na en weet niet goed wat ik van haar heftige steunbetuiging moet denken.

Een rustdag. We slapen allemaal tot ver na twaalven uit en hangen daarna wat rond. Juni gedraagt zich vreemd afstandelijk, teruggetrokken en stil. Ze ontwijkt mijn blik. Die van Derwisj ook. Net alsof ze zich schaamt voor wat ze heeft gezegd. Of alsof ze iets aan het bekokstoven is, maar niet wil dat wij het weten.

Avond. De rillingen beginnen weer. Alles wat ik heb gegeten komt er weer uit. Ik zit op het gras achter het huis in de warme avondzon en vecht tegen mijn brakende lichaam, vastberaden om te genieten van wat wel eens mijn laatste zonsondergang zou kunnen zijn. Derwisj en Juni zitten vlakbij. Derwisj vraagt of ik niet naar binnen wil. Ik schud mijn hoofd. Ik wil de wereld niet verlaten. Ben bang dat als ik dat doe, het bekeken is. Dat als het spel eenmaal begint, het meteen ook voorbij is... en ik de rest van mijn leven verdoemd.

Bill-E belde eerder op de dag. Hij wilde langskomen en samen een beetje rondhangen. Derwisj heeft me verontschuldigd. Hij heeft gezegd dat ik een gemeen virus te pakken heb. Dat Bill-E beter uit de buurt kan blijven voor het geval het besmettelijk is. Bill-E vermoedde niets. Waarom zou hij ook?

Ik zit te piekeren over mijn broer. Ik wilde dat ik hem over ons had verteld. Derwisj had gelijk, ik heb te lang gewacht. Ik wilde hem een emotionele achtbaan besparen door hem niet de waarheid te vertellen, maar dat was geen goede beslissing. Als ik vanavond verander en door de Lammeren word geëxecuteerd, denkt hij nog steeds dat hij alleen maar een vriend is kwijtgeraakt. Hij zal nooit weten hoe nauw we in werkelijkheid met elkaar verbonden waren.

Ik overweeg hem te bellen en hem de waarheid te vertellen nu ik nog kan praten. Maar dat zou waanzin zijn. Als ik het overleef, als ik dit ding versla of in ieder geval mijn transformatie een maand kan uitstellen, kan ik het hem daarna vertellen. Het heeft

geen zin om nu te bellen. Erger nog: het is gevaarlijk. Hij zou hierheen kunnen komen. In de weg lopen. Ten prooi vallen aan het van bloed bezeten
monster dat ik tegen die tijd misschien al geworden
ben.

'Heb je die kooi nog?' vraag ik opeens.

Derwisj stopt met praten tegen Juni en kijkt me
aan.

'Die kooi in de geheime kelder. Is die daar nog?'

Hij knikt traag.

'Zet me erin.' Ik had gedacht dat mijn stem zou
beven, maar dat is niet zo. Ik kijk Derwisj vastberaden aan.

'Als je gaat veranderen kunnen we –' begint hij.

'Nee,' onderbreek ik hem. 'Doe het nu. Voordat
ik verander. Ik heb je gisteravond behoorlijk toege-
takeld. Juni ook. Ze heeft ons kunnen oplappen,
maar vannacht zal ik sterker zijn. Woester. Het kan
zijn dat ik jullie zo toetakel dat het niet meer op te
lappen is.'

Derwisj zwijgt. Hij wisselt een blik met Juni.

'Het kan ook in je nadeel werken,' zegt Juni zacht.
'Gisteren geloofde je in jezelf. Dat geloof gaf je de
kracht om te vechten. Als je jezelf als een beest laat
opsluiten, ga je jezelf misschien ook als een beest
zien. Je geloof kan verdwijnen... je vechtlust...'

'Dat zal niet gebeuren.'

'Het zou wel eens goed kunnen zijn,' mompelt
Derwisj. 'Als hij verandert, dan weet ik niet of we
hem in bedwang kunnen houden.'

'Je hebt allerlei middeltjes liggen,' zegt Juni. 'Als
het nodig is kunnen we hem toch verdoven?'

'Herinner je je Meera nog?' zeg ik voordat Derwisj kan antwoorden. 'Toen Bill-E veranderde, viel hij haar aan. Hij sloeg haar bewusteloos voordat je hem een spuitje had kunnen geven. Hij vermoordde haar bijna. Als dat met Juni gebeurt...'

Derwisj' gezicht verstrakt. 'Je hebt gelijk. Het wordt de kooi, we hebben geen keus.' Hij pakt Juni's hand. 'Het wil niet zeggen dat we het opgeven. Het is alleen voor onze veiligheid.'

Ze knikt onwillig en kijkt me aan. In haar uitdrukking ligt dezelfde belofte als die ze me eerder heeft gedaan: Vertrouw me. Ik sta achter je. Zelfs als Derwisj het laat afweten.

Ik kom snel overeind. 'We kunnen het beter meteen doen.' Ik werp een laatste blik op de zon. 'De maan komt zo op.' Ik leg mijn handen op mijn rommelende buik. 'Ik voel het.'

De kooi. Ik jammer. Ik schreeuw. Ik beuk op de tralies. Derwisj en Juni staan aan de andere kant. Ze brullen aanmoedigingen, dat ik aan het winnen ben. Ze doen een beroep op de mens in me, degene die in snel tempo aan het verdwijnen is om plaats te maken voor iets nieuws, iets dodelijks, monsterlijks.

Ik vecht, maar het is zwaarder dan gisteravond. Het monster is sterker. Het haalt onophoudelijk naar me uit, het grauwt en hapt naar me, het werpt zich met volle kracht tegen de bal van magie die mijn enige bescherming vormt en zet zijn klauwen erin. Het krijst moord en brand en zet alles op alles om los te breken en als een wilde tekeer te kunnen gaan en te doden.

Ik grijp mijn hoofd met mijn handen beet en schreeuw het uit. De aderen in mijn nek zijn tot het uiterste gespannen en mijn handen krommen zich tot klauwen. Ik roep aan een stuk door mijn eigen naam, in een poging me aan mijn stem vast te houden, maar er komt niet meer uit dan een onverstaanbaar gegrom. Het licht om me heen verandert ook, het wordt donkerder, de schaduwen verdwijnen en de kleuren vervagen tot grijs.

'Ik... ga... niet... veranderen!' brul ik. Elk woord is een gevecht. Ik laat mijn hoofd los en grijp de tralies beet. Ik boor mijn ogen in die van Derwisj, daarna in die van Juni. 'Ik... ga... niet...' Het laatste woord ontaardt in een onmenselijk gekrijs.

'Je hebt helemaal gelijk,' roept Derwisj wanhopig. 'Je gaat niet veranderen. Je bent Grubbs Grady. Je gaat dit gevecht winnen. Grady's verliezen nooit.'

'Blijf vechten,' spoort Juni me aan. Ze legt haar handen over de mijne. 'Je kunt het. Ik weet dat je het kunt.'

Ik val naar achter. Ik schud wild met mijn hoofd heen en weer en brul het uit van de pijn. Het monster lacht kakelend. Het gevecht gaat door. De marteling neemt me volledig in beslag.

Ik heb uren gevochten. Tenminste, ik denk dat het uren heeft geduurd. Misschien waren het maar tien minuten. Misschien ben ik zo ver heen dat ik alle besef van tijd heb verloren. Het is ook mogelijk dat deze nacht voor mij nooit meer ophoudt, een eeuwigdurend gevecht tussen menselijkheid en kwaadaardige wolvenkracht.

Ik zak op de vloer in elkaar. Tegen de tralies aan geleund kijk ik met grote, wilde ogen om me heen. Ik zie het grote bureau, de sleutel van de kooi, kaarsen, boeken, een schaakstuk in een hoek, een overblijfsel van mijn vorige gevecht in deze kelder. Ik voel mijn huid rimpelen. Ik wil het laten gebeuren. Ik ben moe. Ik kan niet meer.

Je moet.

Een nieuwe stem. Niet mijn eigen en ook niet de denkbeeldige stem van het monster. De stem van de magie. Hij spreekt snel en zacht, en vertelt me dat we dit ding kunnen verslaan als we samenwerken. Hij begint me uit te leggen hoe ik hem kan gebruiken, de bezweringen die ik moet uitspreken, de woorden die ik moet gebruiken – maar het monster kiest precies dat moment uit om luid te janken. Mijn hoofd vult zich met een oorverdovende herrie. Ik sla mijn handen over mijn oren en schreeuw het uit.

Wanneer het geluid is weggeëbd en ik mijn handen laat zakken, is de stem van de magie verdwenen, of zo zacht geworden dat ik hem niet meer kan horen. Ik ben niet alleen. Ik voel dat hij er nog is. Maar ik voel ook dat hij me niet meer kan helpen. Ik ga dit gevecht verliezen. Misschien heb ik al verloren en weet ik het nog niet.

Nog meer vechten. Pijn. Doodsangst.

Dan opnieuw een zeldzaam moment van rust en helderheid. Nu aan de andere kant van de kooi, maar nog steeds in dezelfde ineengezakte houding als daarvoor. Derwisj en Juni zitten vlak bij me op hun hurken en vertellen me hoe goed ik het doe, hoe trots ze op me zijn, dat ik ga winnen, dat ik gewoon nog even moet volhouden.

Ik draai mijn hoofd een fractie en glimlach droevig naar Derwisj. 'Sorry,' zeg ik schor.

'Nee,' bijt hij me toe. 'Je mag het niet opgeven. Je moet dit ding verslaan.'

'Sorry,' mompel ik nogmaals. Mijn hoofd valt op mijn borst, ik haal hijgend adem en huil. Hete tranen op mijn wangen, maar het voelt niet alsof het de mijne zijn.

'Hij glipt ervandoor,' zegt Juni. Ze klinkt veel kalmer dan mijn oom.

'Nee!' blaft Derwisj. 'Niets daarvan. We moeten –'

'Stil,' commandeert Juni.

'Maar we mogen hem niet –'

'Dat zullen we ook niet.' Ze steekt haar handen door de tralies en tilt mijn hoofd op. Het duurt een paar seconden, maar uiteindelijk lukt het me mijn ogen te focussen. Ze bestudeert me met koele blik. 'Hij verliest zijn concentratie. We moeten hem helpen het terug te krijgen. We moeten hem weer in actie zien te krijgen en aansporen om te vechten.'

'Hoe?' vraagt Derwisj gespannen.

'Een bezwering. Een die de magie in hem in werking zet. Alsof we hem een spuitje geven met adrenaline, maar dan niet in zijn spieren, maar in zijn magie.'

'Wat voor bezwering?' gromt Derwisj. 'Ik ken geen –'

'Ik heb er eentje voorbereid,' onderbreekt Juni hem. 'Voor het geval dat.' Ze kijkt van me weg en

233

wisselt een blik met Derwisj. 'Het is een gevaarlijke bezwering, die hem kan genezen, maar net zo makkelijk kan doden. Ik wilde er geen gebruik van maken zolang het niet absoluut noodzakelijk was. Ik wil het nog steeds niet, behalve als hij verder wegglijdt en nog meer terrein prijsgeeft aan... *de weerwolf*.' Ze glimlacht vluchtig bij dat woord. Dan kijkt ze weer ernstig. 'Als je het niet wilt, zal ik het niet doen, maar ik wil dat je weet dat we er zonodig gebruik van kunnen maken. En ik wil weten of je ervoor openstaat, zodat ik me erop kan voorbereiden.'

Derwisj ziet er verloren uit, alsof hij wil huilen. Een moment lang lijkt het alsof hij niet gaat antwoorden. Dan, met bovenmenselijke inspanning, knikt hij stijfjes. 'Maar alleen als we geen andere keus hebben,' zegt hij zwaar ademend.

'Natuurlijk.' Juni raakt liefdevol zijn wang aan. 'Je zult het huis in moeten. Als ik met de bezwering doorga, heb ik een aantal spullen nodig.'

'Wat?'

Juni sluit haar ogen. Er gaan een paar seconden voorbij. Ze doet haar ogen weer open. 'Heb je het?'

'Reken maar!' Derwisj lacht als een waanzinnige. 'Dat moet je me ook eens leren.' Dan stommelt hij naar de deur van de wijnkelder.

Juni wacht totdat hij is verdwenen en loopt dan snel naar het bureau. Ze grist de sleutel van de kooi naar zich toe en steekt hem in het slot.

'Wat doe je?' mompel ik. Ik deins achteruit wanneer ze de deur opent en mijn schuilplaats betreedt. 'Ga weg. Het is niet veilig. Ik zou je –'

'De Lammeren staan buiten,' zegt Juni en ze hurkt naast me neer. Ze pakt mijn handen en helpt me overeind. 'Derwisj heeft met hen gepraat. Ze hebben het huis omsingeld en staan klaar om je af te maken zodra Derwisj een teken geeft.'

Ik haal vermoeid mijn schouders op. 'Misschien is dat maar het beste. Er is niets aan te doen. Ze –'

'Stil!' sist Juni en ze slaat me in het gezicht. 'Ik sta niet toe dat jij jezelf opoffert. Ik geloof niet dat je verloren bent. We kunnen ons hieruit redden, maar alleen als we positief blijven denken, alleen als jij blijft vechten. Derwisj begrijpt het niet. Hij vindt dit verkeerd. Hij houdt van je maar onderschat je ook. Hij weet niet hoe sterk je bent.'

'Nee. Ik ben zwak. Ik kan niet meer vechten. Laat het gewoon maar gebeuren. Dat is een stuk makkelijker. Ik ben ziek van alle pijn.'

'Het kan me niet schelen hoe ziek jij bent!' valt Juni uit. Dan verandert haar stem. 'Ik doe dit niet alleen voor jou. Ik wil ook voor mezelf dat je blijft leven.'

Ze grijpt me bij mijn trui, trekt me naar zich toe en zoent me. Het begint onschuldig. Zoals mijn moeder me zoende toen ik klein was en midden in de nacht bang wakker was geworden. Maar dan verandert het in iets diepers en ik zoen haar terug, op de manier waarop ik Reni heb gezoend toen we aan het flesje draaien waren.

Het monster in me huilt terwijl we zoenen. De magie zwelt aan tot een kolkende stroom. De tralies om ons heen worden roodgloeiend, breken en smelten, en tuimelen vervolgens omlaag. Het dak van de

kooi komt naar beneden. Met één krachtige handbeweging smijt ik het aan de kant.

Juni laat me los. Ze ademt zwaar. 'Rennen,
Grubbs,' zegt ze. Haar ogen zijn groot en glinsterend, haar wangen gloeien. 'Maak je uit de voeten
voor de Lammeren. Ga naar de grot. Wacht daar op
me.'

'De grot? Maar... als ik verander...'

'Dat gebeurt niet,' belooft ze plechtig en ze zoent
me opnieuw, dit keer vluchtig. 'Nú!'

Zonder na te denken ga ik er als een speer vandoor. Ik spring over de nog nasputterende tralies van
de kooi heen en vlieg naar de andere uitgang, die
van het huis vandaan voert. Ik ruk de deur open en
ren de trap op. Juni staat onder aan de trap aan-
moedigend te roepen, dan lacht ze. Haar lach achtervolgt me, blijft bij me, troost me, spoort me aan.

* * *

Ik sta boven aan de trap. De weg vóór me is ge-
blokkeerd door een dubbele deur, die aan de bui-
tenkant met kettingen is afgesloten en daarna is af-
gedicht met een golfplaat. Ik houd slechts een fractie
van een seconde in, zet dan mijn rechterschouder tegen de deur en geef een felle duw. De kettingen breken. De deuren barsten open. De metalen plaat vliegt
los.

Ik stap het maanlicht in.

Ik sta buiten, hijgend, en kijk om me heen. Ik
neem de wereld waar met ogen die voor een derde
menselijk zijn, een derde dierlijk en een derde ma-

gisch. Ik voel de aanwezigheid van gedaanten, ook al worden ze door bomen of het huis aan het directe zicht onttrokken. Negen... tien... elf... twaalf! Hoe dan ook niet genoeg om mij tegen te houden. Grubbs Grady – über-uitbreker!

Het monster in me wil aanvallen, wil ze openrijten, ze leren dat er met de Grubbster niet valt te spotten. Hoe verleidelijk die gedachte ook is, ik duw haar weg en vlucht naar het bos.

Hier aan de achterkant bevinden zich drie leden van de Lammeren. De onverwachte versplintering van de deur heeft hen verrast. Maar ze herstellen zich snel. De routine neemt het weer van hen over en ze maken aanstalten om me te onderscheppen. Grote mannen met knuppels, verdovingspistolen, netten, geweren.

'Halt!' roept een van hen en hij richt zijn geweer. Ik grauw naar het wapen en het wordt gloeiend rood. Hij geeft een schreeuw en probeert het weg te gooien. Wat mislukt, want het heeft zich in zijn vlees geschroeid en aan de botten van zijn hand vastgezet.

Het tweede Lam rent op me af en probeert me met een rugbytackle onderuit te halen. Terwijl hij op me afspringt grijp ik hem beet, zwaai hem door de lucht en gooi hem vervolgens hard tegen de grond, waar hij verdoofd blijft liggen – een volmaakte worstelgreep. Loch zou trots op me zijn. Als ik tijd had, zou ik hem op de grond houden en tot drie tellen. Maar hoe machtig en speels ik me ook voel, ik heb geen tijd te verliezen. Als de andere Lammeren zich hier verzamelen, zou het wel eens minder gladjes kunnen verlopen. Ik denk wel dat ik hen allemaal aankan en het van hen zou winnen, maar ik kan het er beter niet op aan laten komen.

De derde achterwacht heeft met moeite een walkietalkie uit zijn zak gehaald en blaft er bevelen in. Ik grom in zijn richting. Uit het harde plastic schieten metalen klauwen tevoorschijn, die zich diep in het vlees en de botten van het gezicht van het Lam vastzetten. Brullend van schrik en pijn probeert hij de walkietalkie los te rukken, maar de klauwen zitten te diep en het apparaat zit muurvast in zijn kaak.

Ik wend me af van de man, die schreeuwend en struikelend aan zijn walkietalkie rukt, het bloed uit zijn oor en wang gutsend, en ren naar de beschutting van de bomen. Ik beweeg me snel, zeker, en voel me levendiger dan ooit.

Wanneer ik bij de bosrand kom, zie ik de zwerver. Hij staat vlakbij naar me te kijken. Ik lach naar hem. Hij heeft gezien wat er met de anderen is gebeurd en is te bang om me aan te vallen. Ik overweeg zijn benen in drilpudding te veranderen of zijn kleren in brand te steken, maar wat zou ik me druk maken? Hij zit mijn ontsnapping niet in de weg. Die slappe gluiperd is de moeite niet waard.

'Tot ziens, eikel!' wil ik roepen, maar mijn stembanden zitten in de knoop en er vormen zich geen woorden. Ik neem genoegen met een pesterig saluut. Hij kijkt me zwijgzaam aan, zijn gezicht onbeweeglijk.

Dan bevind ik me tussen de bomen, verscholen voor het maanlicht en de resterende Lammeren. Ik ren met het gemak van een wolf. Soepel en snel, zonder een spoor achter te laten. Op weg naar de grot en mijn weerzien met Juni.

Wild

Een paar minuten lang voel ik me een supermens. Benen van staal, ijzeren longen, sneller dan een gewoon mens ooit heeft gerend, records verbrijzelend. Waar zijn de scheidsrechters van de Olympische Spelen als je ze nodig hebt?

Maar dan vertraag ik. Pijn raast door mijn lichaam. Ik struikel. Het monster gromt. Ik krimp ineen op de koude, harde grond. Snikkend. Ik probeer te vechten. Ik til mijn hoofd op en probeer...

Het volgende waarvan ik me bewust ben is het gat dat naar de grot leidt. Ik sta aan de houten vlonder te sjorren die Derwisj heeft achtergelaten. Ik ruk hem aan stukken en klauter de donkere afgrond in. Een deel van me aarzelt. Ik ben dankbaar dat ik nog menselijk ben, ik wil zo snel mogelijk de veiligheid van de grot bereiken, ik kijk uit naar het weerzien met Juni, maar ik herinner me Derwisj' waarschuwing – deze grot is gevaarlijk, het is een plek van kwaadaardige magie. Misschien moet ik...

In de grot. Ik huil, het gehuil echoot naargeestig tegen de wanden. Met moeite laat ik mezelf ophouden, en de echo's sterven weg. Dan hoor ik alleen nog maar de waterval en het supersnelle bonken van mijn eigen afgebeulde hart.

Hoelang ben ik bewusteloos geweest, aan het huilen, hoelang heeft het monster gedacht dat het had gewonnen, voordat ik op de een of andere manier ben opgekrabbeld en mezelf weer onder controle heb gekregen? Het is met geen mogelijkheid te zeggen, maar het voelt niet alsof er veel tijd voorbij is gegaan.

De duisternis is absoluut. Het maakt me bang. Het gevoel van onkwetsbaarheid en superioriteit dat me door het cordon van Lammeren liet breken is verdwenen. De magie is er nog steeds, en het monster ook. Maar het is voornamelijk ik die aanwezig is, menselijk en koud, eenzaam in de duisternis, met afschuw terugdenkend aan hoe weinig het heeft gescheeld of ik had de drie Lammeren vermoord. Ik hoop dat ik hen niet te veel pijn heb gedaan en ik vraag me af of ik juist heb gehandeld door ervandoor te gaan.

Ik zak neer op de rotsbodem, trek mijn knieën op en klem ze stevig tegen mijn borst aan. Ik tuur de duisternis in en probeer iets – wat dan ook – te onderscheiden. Verward en beschaamd denk ik terug aan Juni's zoen. Ik vraag me af wat de aanleiding was, of dat ik me de volwassen passie alleen maar heb verbeeld. Wat ik me zeker niet heb verbeeld is dat ze zei dat ze hoe dan ook achter me zou blijven staan, ook als Derwisj het opgaf. Ze heeft me bevrijd en beloofd dat ze hierheen zou komen.

Het deugt niet. Haar bedoelingen waren goed, maar we zouden dit niet moeten doen. Ik had daar moeten blijven en me moeten schikken in mijn lot. Ik had het aan Derwisj' oordeel moeten overlaten. Hij weet meer van dit soort dingen dan Juni of ik. Maar ik kan nu niet meer terug. Ik ben 'm gesmeerd voor Derwisj. Ik heb de degens gekruist met de Lammeren. Ik heb een pact met Juni gesloten dat me van alle anderen heeft afgesneden. Stel dat ze niet komt? Stel dat ze van gedachten verandert en me hier achterlaat. Stel dat ze...

Licht. Ik kom langzaam overeind, in de veronderstelling dat het Juni is. Maar dan zie ik dat het afkomstig is van de rotswand, vlak bij de waterval, iets links van de spleet die ik heb veroorzaakt. Een vreemd, zacht licht. Geen natuurlijk licht. Het komt uit de rotswand. Het is rond, maar met rafelige randen. En in het midden baant iets zich een weg naar buiten, ontstaat er een vorm in de rotswand – het is het meisjesgezicht dat ik zag toen Loch stierf.

In het schijnsel van het licht stulpen de kaak, de jukbeenderen en het voorhoofd naar buiten. Het gezicht lijkt een kruising van rots en vlees, het een noch het ander, maar een verbinding van de twee. Wanneer het zo ver als mogelijk uit de rots steekt – ik zie de puntjes van de oren – gaan de ogen open. En een tel later bewegen de lippen.

Ze praat met klem, ze struikelt over haar woorden. Ik zie dat het belangrijk is – dat ze dringend iets wil overbrengen – maar ik begrijp haar niet. Haar taal lijkt op geen enkele taal die ik ken.

'Ik weet niet wat je zegt,' kreun ik en ik schud machteloos met mijn hoofd. Ze verheft haar stem en gaat nog sneller praten – alsof dát helpt! Ik verlies mijn kalmte. 'Ik begrijp je niet,' schreeuw ik.

Dan slaat de pijn weer toe. Het monster huilt. De magie flakkert op. Ik zak kreunend op mijn knieën neer. De stem van het meisje zwelt aan. Ze gilt, ze bestookt me voortdurend met dezelfde verwijtende woorden. De eerste keer kon ik al geen wijs worden uit haar woorden en nu lukt het me nog steeds niet. Ik wil dat ze me met rust laat.

'Stop,' kreun ik, maar ze stopt niet. 'Stop.' Dit keer zeg ik het resoluter. Ik kijk haar aan zodat ze de woede in mijn ogen kan zien. Om het monster te kunnen bevechten en het terug zijn hol in te jagen heb ik rust en stilte nodig. Snapt ze dan niet hoe moeilijk het is en dat ze het alleen maar moeilijker maakt?

Nee, dat doet ze niet. En als ze het wel snapt, kan het haar niet schelen. Ze blijft tetteren, steeds luider, en de woorden komen steeds sneller. Dan verschijnen er twee handen uit de rots. Ze wijst beschuldigend naar mij, naar de grot in het algemeen, naar de spleet in de rotswand.

'Hou je kop,' bijt ik haar toe. Ik voel het monster met zijn klauwen langs de binnenkant van mijn schedel schrapen. 'Ik kan het niet meer aan. Stoppen. Stoppen! *Stoppen!*'

Op de laatste kreet spring ik overeind. Ik gooi mijn armen in de lucht en schreeuw het uit.

Een doordringend knappend geluid – de spleet naast de waterval wordt wijder en langer. Het gezicht en de handen van het meisje verdwijnen. En de waterval bevriest. Opeens is hij van ijs, van boven tot onder een immense kristallen massa, adembenemend glinsterend, in ijs gehouwen beweging – een beeld waar geen kunstenaar ter wereld ooit aan zal kunnen tippen.

Ik staar gebiologeerd naar het ijs. Hoe heb ik dat in hemelsnaam voor elkaar gekregen?

Dan verdwijnt het licht op de plek waar het gezicht van het meisje was verschenen. Ik ben weer in duisternis gehuld. Enkele tellen later, terwijl mijn hoofd nog steeds tolt, bespeur ik een lichtschijnsel achter me. Ik draai me om, in de verwachting het gezicht weer te zien. Maar dit keer is het het flikkerende licht van een zaklantaarn. En het komt vanboven, van de schacht die naar het bos boven me leidt.

'Grubbs?' roept iemand, de meest welkome persoon in de wereld.

'Juni!' roep ik en ik stommel naar de plek waar ze de grot in zal komen. 'Kom snel. Je gelooft nooit wat –'

Ondraaglijke pijn. Een flits van allesverwoestende foltering. Het monster, dichter bij de oppervlakte dan ooit. Ongelooflijk machtig. Als reactie laait de magie op. De twee gaan met elkaar op de vuist, bestoken elkaar met vlammen, vechten om de macht over mijn lichaam en ziel.

Ik stort schreeuwend neer. Ik hoor Juni opnieuw mijn naam roepen, dan vervaagt de wereld om me heen. Mijn gedachten worden mistig. Ik probeer te roepen, Juni te waarschuwen dat ze uit mijn buurt moet blijven, maar het is te laat. Ik ga kopje-onder. Het monster duwt me omlaag. Ik verdwijn.

Ik kom weer bij bewustzijn. Wat een onbeschrijflijke opluchting. Toen ik de vorige keer de controle verloor, dacht ik dat het met me was afgelopen. Geen Grubbs Grady meer. Voor altijd verloren. Tot het eind der tijden de weerwolf aan de macht. Het is goed – geweldig! – om weer terug te zijn.

Maar de opluchting verdwijnt even snel als ze is opgekomen. Ik ben niet meer in de grot. Ik ben in een huis en er is overal bloed. Op de grond liggen twee opengereten en aan stukken gescheurde lichamen. Aan de andere kant van de kamer staat Juni, gehavend en afgemat. Het bloed stroomt over haar armen, hoofd en hals. Ze kijkt me aan en praat tegen me, jachtig en met uitgestrekte handen. Ze maakt drukke gebaren in een poging me tot bedaren te brengen.

Ik grom naar haar. Mijn met bloed besmeurde handen ballen zich tot vuisten om haar weg te houden van de lichamen – blijkbaar wil het monster alles voor zichzelf hebben.

Het lukt me om het grommen te stoppen en mijn handen te laten zakken.

'Grubbs?' hijgt Juni gespannen. 'Ben jij dat?'

'*Uhrg*.' Ik hoest. Ik schraap mijn keel en probeer het opnieuw. 'Ja.'

'Goddank.' Ze barst in tranen uit en zakt in elkaar. 'Ik dacht dat je me ging vermoorden.'

'Ik zou nooit...' Ik stop en kijk om me heen. Ik ken dit huis. En nu ik door de lagen bloed heen kijk, herken ik ook de mensen.

Opa en oma Spleen!

'Nee!' schreeuw ik. 'Niet Bill-E! Zeg dat ik niet –'

'Achter je,' zegt Juni door haar tranen heen.

Ik draai me langzaam om, op het ergste voorbereid, klaar om mijn eigen hart uit te rukken als blijkt dat ik mijn broer heb gedood. Maar hij leeft. Hij ligt op zijn buik, bewusteloos, en er stroomt bloed uit een wond op zijn hoofd. Zijn lichaam beweegt op zijn ademhaling. Ik ga snel naar hem toe en draai hem op zijn rug. Ik zorg dat hij goed ligt, ik controleer of zijn hoofdwond niet al te ernstig is.

'Je veranderde,' kreunde Juni. 'Ik kon het niet tegenhouden. Ik dacht dat ik de magie van de grot kon aanboren om je te helpen. Maar je werd een monster en probeerde me te doden. Het lukte me om je af te weren. Ik doofde het licht en verschool me in de duisternis. Met magie heb ik mijn geur kunnen verhullen.

Toen ging je weg. Ik volgde je spoor hierheen. Je was al naar binnen gestormd voordat ik er was en had de ouwetjes gedood. Je had Bill-E ook gedood als ik je niet had tegengehouden door met je te vechten. Ik denk niet dat ik het veel langer had volgehouden. Als je niet was terugveranderd...'

Ze stort in. Ik kijk naar haar en dan naar Bill-E. En vervolgens naar de afgeslachte opa en oma Spleen. Ik heb hen nooit gemogen. Het waren chagrijnige, egocentrische bemoeials. Ze betuttelden Bill-E en probeerden hem bij me uit de buurt te houden. Maar dit verdienden ze niet, om in hun eigen huis door een wild nachtdier aan stukken te worden gereten.

'Wat heb ik gedaan?' vraag ik snikkend. Ik laat me op de vloer zakken en verberg mijn hoofd in mijn handen. 'Ik heb hen vermoord. Ik ben een moorde-naar.'

'Niet waar,' zegt Juni. Ze kruipt naar me toe en probeert mijn handen weg te trekken. 'Het was het monster... de weerwolf. Jij hebt dit niet gedaan, Grubbs. Het was niet jouw schuld.'

'Natuurlijk wel,' schreeuw ik en met een ruk breng ik mijn hoofd omhoog. 'Ik wist wat er aan de hand was. Ik wist dat ik opgesloten moest worden, wat ik kon aanrichten als ik werd losgelaten. Ik had in de kooi moeten blijven en me door de Lammeren laten afslachten.'

'Zeg dat alsjeblieft niet.'

'Maar het ís zo,' zeg ik huilend.' 'Ik ben degene die nu dood zou moeten zijn, niet de Spleens. Ik ben degene...' Ik stop en frons. 'Maar waarom ben ik hierheen gegaan? Waarom zij en Bill-E?'

'Je mocht hen niet,' brengt Juni me in herinne-ring.

'Maar zo erg had ik niet de pest aan ze. En Bill-E is mijn beste vriend. Waarom –'

'Dat doet er nu niet toe,' onderbreekt Juni me scherp. 'Je was jaloers op Bill-E, of je wilde zijn grootouders doden, of het monster is gewoon naar een plek gegaan die hij kende, die hij uit jouw her-inneringen heeft geplukt. Het had ook jouw huis kunnen zijn, je school of het huis van een van je an-dere vrienden. Toevallig werd het dit huis. En wat dan nog? Wees gewoon blij dat je bij bewustzijn kwam voordat... voordat...' De woorden stokken in haar keel.

Ik streel Juni's haren terwijl ze huilt. De tranen in

mijn eigen ogen zijn opgedroogd. Ik staar weer naar de dode lichamen, maar nu kalm, afstandelijk. Ik weet wat ik moet doen.

'Bel Derwisj,' zeg ik tegen Juni. 'Vertel hem waar we zijn. Vraag hem de Lammeren mee te nemen. Ik zal me niet verzetten. Ze mogen me hebben. Ik geef me over.'

'Nee!' Juni hapt naar adem. 'Ze zullen je doden.'

'Ze zullen me elimineren,' verbeter ik haar. 'En dat is wat er moet gebeuren. Dit kan zo niet doorgaan. Het was verkeerd om ervandoor te gaan. Ik...' Er komt een gedachte bij me op. 'Derwisj weet niet dat je me geholpen hebt, nietwaar?'

Juni schudt haar hoofd. 'Ik heb gezegd dat je bent uitgebroken, dat ik heb geprobeerd je tegen te houden, maar dat het niet ging. Hij is met de Lammeren naar je op zoek gegaan. Ik bleef achter en toen ze weg waren, ben ik naar buiten geglipt. Hij weet van niets.'

'Goed. Laat dat telefoontje maar zitten. Ik doe het zelf. Ga maar naar huis en knap jezelf op. Vertel hem niets. Ik hoef jou er niet bij te betrekken.'

'Je weet niet wat je zegt.'

'Dat weet ik wel. Zo is het genoeg geweest. Meer dan genoeg. Ik heb vannacht gedood. Het doet er niet toe of ik het was of het monster. Als ik zo doorga, dood ik opnieuw, dat weten we allebei. Dat mag niet gebeuren. Ik ga dat niet laten gebeuren. Dus ga jij maar. Bedankt voor alles, maar ik ben het punt waarop ik nog geholpen kan worden gepasseerd.' Ik pak de telefoon en begin het nummer in te toetsen.

Met een rustig gebaar neemt Juni de telefoon uit

mijn handen. 'Ga met me mee,' fluistert ze. 'Ergens heen waar niemand ons kan vinden, waar jij niemand kwaad kunt doen.'

'Waar heb je het over?' vraag ik fronsend. Ik probeer de telefoon terug te pakken.

'We vluchten,' fluistert ze indringend terwijl ze de telefoon buiten mijn bereik houdt.

Ze huilt niet meer. Ze klinkt weer als haar oude zelf. In mijn verbeelding hoor ik haar hersenen achter haar ogen op volle toeren draaien.

'We gaan naar een afgelegen en verlaten plek. Wanneer het weer volle maan wordt, gaan we een berg op of een grot in. Ik bind je vast en bedwelm je met magie en verdovende middelen, zodat je niemand kunt doden. Ik laat je pas weer gaan wanneer het geen volle maan meer is. We kunnen daar blijven en een nieuw leven beginnen, zodat de wereld niets meer te vrezen heeft van jou... van het monster.'

'Het is een mooie fantasie,' zeg ik met een zucht. 'Maar het zou niet werken. Je hebt gezien wat ik met de kooi deed. Ik zou ontsnappen en opnieuw doden.'

'Nee,' houdt Juni vol. 'Ik kan je in bedwang houden. Ik weet het zeker.'

'En stel dat ik de volgende keer voorgoed verander?' vraag ik. 'Stel dat het monster het overneemt?'

'Dan zal ik doen wat de Lammeren vannacht hebben geprobeerd,' belooft ze me. Ze neemt mijn handen in de hare. 'Verkijk je niet op mij. Als ik je moet doden, zal ik dat doen, hoezeer het me ook aan mijn hart gaat. Maar zolang het niet echt nodig is, wil ik je niets aandoen. Ik geloof nog steeds dat je gered kunt worden. Vannacht had de weerwolf het van je moeten overnemen, maar dat is niet gebeurd. Je hebt gevochten en gewonnen. De volgende keer kun je weer winnen, dat weet ik zeker. Als ik het mis heb... als je verliest...' Haar kaken verstrakken. 'Het zij zo. Maar we moeten het proberen. Het leven is te kostbaar om het onnodig te vergooien.'

'Ik weet het niet.' Ik kijk weer naar de lichamen, naar Bill-E. 'De risico's...'

'Die zullen er niet zijn,' belooft ze. Ze staat op en trekt me overeind. 'We vertrekken meteen en gaan op zoek naar een plek waar je niemand kwaad kunt doen.'

Ik aarzel. Ik word verscheurd tussen het juiste willen doen en willen leven.

'Als je het niet voor jezelf wilt doen, doe het dan voor mij,' zegt Juni zacht. 'Ik hou van je, Grubbs. Alsjeblieft. Blijf leven. Voor mij.'

Ik weet niet wat ik moet zeggen. Ik wil met haar mee. Maar het monster... de magie... de moorden. Ik doe mijn mond open, om haar weer te vragen me de telefoon te geven, om dapper te handelen, onzelfzuchtig, in het belang van het welzijn van degenen die me dierbaar zijn.

Maar wat eruit komt, is een zwak: 'Oké. Maar je moet me beloven dat je me uit de buurt van mensen houdt. En dat je me zonodig de volgende keer tegenhoudt, hoe dan ook.'

Juni legt haar hand op haar hart en glimlacht. 'Ik beloof het.'

Ze loopt naar de achterdeur, doet hem open en

duwt me voor zich uit de nacht in. Gedwee ga ik de drempel over, struikelend en mezelf in stilte vervloekend om mijn lafheid. Ik laat mijn hoofd hangen en huil weer. Wanneer we buiten zijn, trekt Juni geluidloos de deur achter ons dicht, de deur waarachter zich de bloederige restanten van de slachtpartij bevinden – en de slapende Bill-E, die straks in chaos en ontzetting wakker wordt.

In de wolken

Vlak bij het huis staat een auto geparkeerd. Juni prevelt een korte bezwering en de deuren gaan open. Nog een bezwering en de motor slaat aan. Ze glimlacht naar me door het raampje en gebaart dat ik moet instappen.

Terwijl we wegrijden zit ik verdoofd naast haar. Ik denk aan de afgelopen twaalf uur. Ik kijk naar het bloed dat zit vastgekoekt aan mijn handen. Ik vraag me af of Bill-E heeft gezien dat ik zijn grootouders heb vermoord, of hij me achter het masker van het monster heeft herkend. Zo niet, zou Derwisj het hem dan vertellen? Zou hij me haten, of het begrijpen? Ik denk haten. Als ik in zijn schoenen stond, zou ik geen goed woord overhebben voor het monster dat dit heeft laten gebeuren. Geen excuus. Geen pardon.

Het is verkeerd om ervandoor te gaan. Ik heb Bill-E's grootouders vermoord, Juni's relatie met Derwisj om zeep geholpen, en nu... wat? De zonsondergang tegemoet rijden, een leuk klein huisje vinden waar we nog lang en gelukkig kunnen leven? Een pervers spelletje moeder-en-zoon kunnen spelen? Waar Juni me elke keer dat het volle maan wordt als een dol geworden beest mag vastbinden? Waanzin. Ik zou er nu een eind aan moeten maken, Juni moeten tegenhouden, mezelf aan Derwisj moeten uitleveren, mijn lot moeten accepteren.

Maar in plaats daarvan blijf ik stil zitten en staar ik naar het bloed of uit het raampje. Ik probeer mezelf wijs te maken dat ik het voor Juni doe, dat ik haar geen pijn wil doen. Maar dat is een leugen. Ik vlucht omdat ik als een gek zo bang ben om te worden gedood. Ik wil me niet laten executeren. Ook al weet ik dat het, omwille van de veiligheid van de mensen van wie ik houd, wel zou moeten.

De auto stopt. Juni leunt achterover en zucht. Met gesloten ogen masseert ze haar slapen. Ik kijk om me heen. We staan op een parkeerplaats, tussen honderden andere auto's. Gebulder boven mijn hoofd. Mijn blik dwaalt omhoog en ik zie een vliegtuig landen. Dan valt het muntje – we zijn bij een luchthaven.

'Juni?' zeg ik zacht.

'Ja?' Haar ogen blijven gesloten.

'Wat doen we hier?'

'We moeten hier weg. Als we blijven, worden we vroeg of laat ontdekt. We moeten ergens heen waar ze ons niet op het spoor kunnen komen. We moeten zo ver mogelijk hiervandaan vliegen. Het kan drie of vier vluchten duren voordat we echt veilig zijn.'

'Maar ik heb geen paspoort. Bagage. Kleren. Geld.'

Juni laat haar handen zakken. Ze opent haar ogen en er verschijnt een verwrongen grijns op haar gezicht. 'Je bedoelt dat je terug wilt om je koffer te pakken?'

'Natuurlijk niet. Maar hoe...'

Ze legt haar handpalmen tegen elkaar en wrijft ze heen en weer. 'Magie.'

* * *

In de luchthaven. Niemand die naar ons kijkt, ook al zitten we onder de blauwe plekken en het bloed. Een verhullende bezwering. Die zijn niet zo moeilijk. Zelfs Bill-E is in staat om een kleine verhullende bezwering uit te spreken. Het is een van de eerste trucjes die een magiër in de dop leert.

Juni heeft me naar de toiletten gestuurd om me op te knappen. Ze zegt dat we elkaar over een kwartier weer zien bij het bord met de vertrektijden. En dat ik voorzichtig moet zijn, met niemand mag praten.

Ik kijk naar mezelf in de spiegel. Mijn ogen zijn twee donkere gaten. De desolate uitdrukking van iemand die verloren is, verdoemd. Derwisj heeft vaak gezegd dat ik een geboren overwinnaar ben, dat hoe benard de situatie ook is, ik me er altijd uit weet te redden. Maar er zijn situaties waarin dat niet meer de moeite waard is. Wat heeft het leven nog voor zin, met zulke verpletterende herinneringen en schuldgevoelens?

Ik draai de warme kraan open en plens het water in mijn gezicht om de ergste bloedkorsten eraf te wassen. De wasbak is al snel een roze streperige kliederboel geworden. Ik spuit vloeibare zeep in mijn handen, maak de wasbak schoon en ga vervolgens aan de slag met mezelf. Ik boen mijn haar, doe mijn trui en T-shirt uit, gooi ze in de afvalbak en was mijn bovenlichaam en mijn armen. Ik zou mijn broek ook moeten weggooien, maar ik voel er weinig voor om alleen in mijn onderbroek rond te lopen. Raar, als je bedenkt wat er allemaal is gebeurd, maar met sommige gewoonten breek je niet zo snel.

* * *

Ik wacht op Juni. Gespannen. Rillerig, niet van de kou maar van de schok. Ik wil ermee stoppen. Ik wil dat zij de leiding neemt, dat zij zich gedraagt als een verantwoordelijke volwassene en mij overhaalt om me gewonnen te geven. Het is vreemd dat zij zich minder verstandig gedraagt dan ik. Ik heb altijd gedacht dat een volwassene zich beter kon beheersen dan een kind, hoe groot de druk ook is. Met elke verkeerde zet bewijst Juni het tegendeel.

'Sorry dat het zo lang duurde,' zegt Juni wanneer ze naast me opduikt. Ze ruikt naar zeep. Ze ziet er geschonden uit, maar niet wanhopig. Haar ogen lijken in de verste verte niet op mijn verwilderde, met angst gevulde kraters.

'Juni, dit is waanzin, we moeten –' begin ik, maar voordat ik mijn zin kan afmaken legt ze een vinger op mijn lippen.

'Laat het gewoon maar gebeuren,' fluistert ze. 'Ik weet dat het verkeerd is. Ik weet wat we hadden moeten doen en ook zouden doen als de omstandigheden anders waren. Maar dat zijn ze niet. Dus geven we ons over aan de waanzin en zien we wel waar die ons brengt.'

Voordat ik een geschikt weerwoord heb gevonden, heeft ze een blik op de vertrektijden geworpen en neemt ze me mee naar een van de balies. Ik sta achter haar terwijl ze twee enkele reizen vraagt. Er wordt geen geld uitgewisseld. In plaats daarvan een korte bezwering, en de baliemedewerker glimlacht, overhandigt Juni twee tickets, vertelt waar ze moet inchecken en wenst haar een prettige vakantie.

We gaan in de rij staan om in te checken. Ik weet niet waar we heen gaan, ik heb niet opgelet bij de balie. Ik overweeg het Juni te vragen, maar ik laat het erbij zitten. Wat maakt het uit? Bij aankomst gaan we waarschijnlijk toch meteen een ander toestel in. En daarna weer een ander. Zodat de Lammeren het spoor bijster raken. In beweging blijven totdat we veilig zijn.

We schuiven steeds een stukje op en staan dan vooraan. Juni neemt de formaliteiten voor haar rekening. Geen paspoort? Geen probleem! Gebruik gewoon een Juni Swan verwarringsbezwering®!

Nadat we nonchalant de veiligheidscontrole zijn gepasseerd, moeten we nog ruim een uur wachten. We brengen de helft van de tijd winkelend door om onze geruïneerde kleren te vervangen. Ik stel voor om extra kleren te kopen voor als deze vies zijn geworden, maar Juni zegt dat we onze garderobe op het andere vliegveld kunnen aanvullen. Dan hebben we iets te doen wanneer we op onze aansluiting moeten wachten.

De nieuwe kleren voelen stijf aan. De trui jeukt,

de broeksband snijdt in mijn middel en de schoenen knellen. Maar ik klaag niet. Met de misdaden die ik de afgelopen dagen begaan heb, verdien ik meer straf dan deze kleine ongemakken.

We zitten op de harde vliegveldstoeltjes. Juni is bezig met genezende bezweringen om het ergste letsel dat ik tijdens mijn moordpartij heb opgelopen weg te werken. Haar vingers gaan behoedzaam over mijn vlees, haar stem klinkt zacht in mijn oor. Ik voel warmte wanneer een snee zichzelf sluit. Prettig.

We mogen aan boord en samen met de rest van de reizigers schuifelen we naar binnen. Het is een groot vliegtuig. We zitten op de twaalfde rij van voren, stoel A en B. Wanneer er niemand in stoel 12C komt zitten, schuift Juni vlak voordat we opstijgen een stoel op, zodat we alle twee meer ruimte hebben. Ze glimlacht naar me terwijl ik uit het raampje kijk naar de startbaan, die glinstert in het vroege ochtendlicht. Haar glimlach wordt weerspiegeld in het glas. Ik draai me om en glimlach terug. Ze steekt haar hand uit en ik pak hem.

'Helemaal alleen,' zegt ze.

'Ja.'

'Ik ben doodsbang maar ook vreemd opgewonden.'

'Ik ook.' Ik grijns laf. Ik lieg of het gedrukt staat, want ik ben in de verste verte niet opgewonden. Ik voel alleen maar angst, verwarring en walging omdat ik de benen neem.

De motoren loeien. We worden tegen de rugleuning gedrukt. *Arrivederci*, terra firma.

Nog voordat we op hoogte zijn, slaat de uitputting toe. Mijn oogleden vallen dicht. Mijn hersenen en lichaam schreeuwen om slaap. Ik probeer mezelf het genot te ontzeggen – ik wil wakker blijven voor het geval Juni me nodig heeft, maar het is vechten tegen de bierkaai.

'Het is oké,' zegt Juni en ze streelt mijn wang. 'Ga maar slapen. Ik houd de wacht.'

'Maar stel dat jij...' mompel ik slaapdronken.

'Maak je maar geen zorgen over mij,' zegt Juni. 'Of over jezelf. Er kan ons niets overkomen. Hier niet.'

Ze heeft gelijk. We zitten kilometers boven de aarde en stijgen nog steeds. Buiten het bereik van de Lammeren, in ieder geval totdat we landen. En met Juni's geslepenheid betwijfel ik of ze ons dan te pakken kunnen nemen. Ik hoef me niet ongerust te maken. Ik kan me beter overleveren aan de eisen van mijn lichaam en… slapen… gewoon een paar…

Ik droom van de grot. Het meisjesgezicht. Ze schreeuwt tegen me. Ze probeert iets te zeggen, me te waarschuwen. Er verschijnt frustratie op haar gezicht wanneer ze beseft dat het niet werkt. Ik wil begrijpen wat ze zegt, al was het alleen maar om haar te kalmeren. Maar ik kan er niet wijs uit worden, ook niet in mijn droom.

Dan verandert haar gezicht. De stem blijft hetzelfde, maar nu is het Juni's gezicht. Ze kijkt me vuil aan. Een blik vol haat. Ik word bang. Ik draai me om en wil wegrennen, maar zie opeens opa en oma Spleen staan. 'Blijf uit de buurt van onze Billy,' zegt opa Spleen. Het bloed gutst uit het gat op de plek waar zijn rechter gezichtshelft had moeten zitten. 'Anders komen we terug en gaan we je achterna,' voegt oma Spleen eraan toe, terwijl ze probeert haar ingewanden terug haar buik in te duwen.

Ik ga er als een wervelwind vandoor, struikelend op zoek naar een veilig heenkomen. Ik kom bij Derwisj, die mistroostig op een stalagmiet zit. 'Je bent een dwaas,' zegt hij verdrietig. 'Ik dacht dat ik het je beter had geleerd. Weglopen heeft nog nooit iets opgelost. En zeker niet als je niet weet wat je tegen het lijf zult lopen.'

Zijn gezicht verandert. Hij wordt een weerwolf. Hij gromt vervaarlijk en springt. Ik krimp in elkaar. Voordat hij op me neerkomt, verschijnt Juni. Ze glipt tussen ons in en slaat Derwisj tegen de grond. Bevend kom ik overeind om haar te bedanken. Maar wanneer ze zich omdraait, zie ik een vurige gloed in haar ogen.

'Grubbs,' zegt ze. Het woord komt er misvormd uit, rauw, alsof de lippen die het vormen niet helemaal menselijk zijn.

De grond schudt onder mijn voeten.

Ik schrik wakker, maar het schudden houdt aan. Ik ga kaarsrecht in mijn stoel zitten, niet zeker of ik nog droom. Mijn hart gaat als een razende tekeer, net als na een uitzonderlijk enge nachtmerrie. Ik kijk waar Juni is, maar ik zie haar nergens. Opnieuw gaat de grond onder mijn voeten tekeer. Mijn stoel trilt alsof hij elk ogenblik van de vloer kan loskomen. Mijn ingewanden krimpen ineen. Ik heb het gevoel dat er iets vreselijks staat te gebeuren. We zitten in de problemen. Waar is Juni? Ik moet haar vinden, haar redden, haar weghalen van...

Nerveus gelach. 'Ik ben blij dat ik niet op een volle maag vlieg,' grapt iemand.

'Als dit zo doorgaat, denk ik dat zo meteen niemand meer een volle maag heeft,' antwoordt iemand anders.

Ik grinnik en ontspan me. Het is gewoon turbulentie. We botsen af en toe tegen een betonnen luchtstroom op – *baf!* Door de hele cabine heen klinkt gekreun. Mensen maken hun veiligheidsgordels vast en degenen die stonden gaan weer zitten. Nog een knal. Het hele vliegtuig schudt wild heen en weer, alsof een reus het bij zijn staart heeft gepakt en alle passagiers eruit probeert te schudden. Zelfs de stewards en stewardessen gaan naar hun stoel. Dat is verontrustend. Het is altijd hoogst onaangenaam als het personeel van een vliegtuig zich gedraagt alsof er problemen zijn. Maar het is een normaal, menselijk soort onrust. Niets vergeleken met wat ik heb doorgemaakt.

Ik leun naar achter en glimlach om de vloekende ouders en de huilende kinderen. Ik heb geen medelijden met mensen die bang zijn in een vliegtuig. Als we eenmaal uit de turbulentie zijn, trekken ze zo weer bij. Bij de landing maken ze vast alweer grappen. Om daarna aan familie en vrienden over hun ruwe vlucht te vertellen. Dan is het een amusant verhaal geworden en tegen de tijd dat ze thuis zijn is alle angst vergeten. Je bent nergens zo veilig als in de lucht. Dat weet iedereen, ook al wordt het soms vergeten, op momenten als deze. Ik durf te wedden dat al deze passagiers zonder aarzelen weer in een vliegtuig zouden stappen, hoe hard ze nu ook heen en weer worden geschud en ge –

De deur van de cockpit wordt uit zijn scharnieren geblazen en komt met een enorme klap op de eerste rij terecht. Kreten van schrik en pijn. De passagiers die verder naar achter zitten strekken hun nek om te zien wat er aan de hand is. Een aantal doet zijn riem af en gaat staan, ondanks de turbulentie. Er ontstaat een lichte paniek, maar de mensen houden zich nog in. Nog wel.

Met een ruk maak ik mijn riem los en ik schuif naar de stoel aan het gangpad. Waar is Juni? Waarschijnlijk op de wc. Ik moet haar onmiddellijk vinden. Er is iets ergs aan de hand. Ik moet naar haar toe zodat we het gevaar samen tegemoet kunnen treden.

Ik kom half overeind, en bevries. Van hieruit kan ik in de cockpit kijken. De cabine is gevuld met rookkolommen. Het eerste wat bij me opkomt is: brand! Dat zou al afschuwelijk genoeg zijn. Maar het is geen gewone rook. Het zijn draden rook die van de vloer naar het plafond lopen, en van links naar rechts, in alle richtingen. Rook vormt geen draden. Nu ik beter kijk, dringt het tot mijn hersenen door wat ik intuïtief meteen al wist: de kolommen in de cockpit zijn helemaal niet van rook.

Het is een web.

Er schiet iets kleins de cockpit uit en het hecht zich aan het gezicht van een man op de tweede rij. Het heeft de vorm van een heel klein jongetje, maar met een veel te groot hoofd en een vaalgroene huid. Op zijn schedel groeit geen haar, maar het krioelt er van de luizen, of misschien zijn het kakkerlakken. Hiervandaan is het moeilijk te zien. Vuur op de plek waar zijn ogen zouden moeten zitten. Muilen in zijn handpalmen.

'Arterie!' Ik hap naar adem en verdoofd door de schok doe ik automatisch een paar passen in de richting van het hellekind.

De mensen om me heen schreeuwen nu écht. Degenen die voorin zitten, kunnen de demon zien, zijn tanden, het vuur in zijn oogkassen. Arterie rukt het gezicht van de man weg. Het bloed gutst naar buiten. Dan breekt de hel los. Alle passagiers in de buurt van de man springen tegelijkertijd overeind om het gangpad te bereiken. Ze verdringen elkaar en vechten om zo snel mogelijk uit de buurt van de monsterlijke baby te komen.

Er komt nog een demon de cockpit uit. Deze kruipt over het plafond en laat zich op het hoofd van een vrouw vallen. Hij ziet eruit als een reuzenschorpioen, maar heeft een bijna menselijk gezicht. Hij is groter dan het hoofd van de vrouw. Haar nek breekt onder het gewicht. De demon sist en haalt dan met de angel in zijn staart uit naar de passagier ernaast, een man. De angel boort zich in de ogen van de man en steekt ze uit. De demon draait zich om en spuugt een klomp op kuit lijkende eieren in de bloederige lege oogkassen. Terwijl de man gillend overeind probeert te komen, komen de eieren uit en kruipen er misvormde demonische insecten naar buiten. Ze storten zich op het vlees rond zijn ogen.

In een mum van tijd is er vrijwel niets meer over van zijn gezicht. De demon slaat opnieuw toe, ditmaal is het een kind.

Er komen nog twee demonen de cockpit uit. Hun menselijke gedaante gaat vrijwel volledig schuil achter puisten, gapende zweren en pus. Het zijn afzichtelijke monsters, die geluidloos brullen en met hun armen flapperen. Het ziet ernaar uit dat de slachting en de doodsangst die nu volgen nog vreselijker zullen zijn dan bij Arterie en de andere demon – maar dan vallen de twee kermend en wild om zich heen slaand en schoppend op de grond. Het dringt tot me door dat het geen demonen zijn. Het zijn de piloot en een bemanningslid.

Er springt iets over de getroffenen en de mensen die door het gangpad proberen weg te vluchten heen. Het lijkt op een konijn, behalve dat het een enorme afzichtelijke bult op zijn rug heeft en veel te grote klauwen. ('Dan kan ik je beter openrijten' kakelt een afgesplitst deel van me hysterisch.) De mensen in de krioelende menigte staren het ding aan, eerder verbijsterd dan angstig. Dan doet het zijn bek open en sproeit een vloeistof over hen heen. Naar lucht happend en sputterend deinzen ze achteruit. Dan klinken er verstikte kreten. Kolkend en borrelend vreet de vloeistof zich een weg in hun vlees en verandert hen in karikaturen van de menselijke gedaante, net als de piloot en zijn collega.

Ik sta nog steeds op dezelfde plek, verlamd van angst. Niet alleen angst vanwege wat er nu gebeurt, maar ook omdat ik weet wat er hierna gaat gebeuren. Verdoofd vraag ik me af hoe dit mogelijk is. De

Demonata zouden niet van het ene naar het andere universum moeten kunnen overstappen. En hoe wisten ze dat ik hier was?

Terwijl ik wanhopig naar antwoorden zoek, de cabine zich vult met lijken en het gekrijs aanzwelt, glijdt er een nieuwe demon de cockpit uit. Deze is erger dan alle andere bij elkaar. Hij is lang en mager. Heeft een bleekrode huid, die bedekt is met bloed dat uit een web van kloven in zijn vlees stroomt. Acht armen met verminkte handen, zoals een klein kind ze zou tekenen, en repen vlees vanaf zijn onderbenen. Kaal. Donkerrode ogen met nog donkerdere pupillen. Geen neus. Een gat waar zijn hart zou moeten zitten, gevuld met tientallen sissende, kronkelende slangetjes.

Lord Loss heeft me gevonden. Een jaar na Slagtenstein komt hij zijn belofte na om zich te wreken. Wat impact en schokeffect betreft een perfecte timing.

'Kinderen,' zegt de demonenmeester.

Zijn stem is precies zoals ik me hem herinner, traag en gekweld, alsof hij al het leed van de wereld heeft doorvoeld. Hoewel hij niet luid spreekt, echoën de woorden het hele toestel door, tot aan de laatste rij. Iedereen stopt met rennen, worstelen, vechten en gillen. Alle ogen richten zich op het afschuwelijke tafereel dat vóór de deur van de cockpit in de lucht zweeft.

Lord Loss kijkt ons weemoedig glimlachend aan, alsof we naar een begrafenis zijn gekomen, om tot de ontdekking te komen dat wíj degenen zijn die begraven worden. 'Wat een tragisch einde,' mompelt hij. 'Boven de wolken. Afgesneden van de aarde waaraan jullie zijn ontsproten. De meesten van jullie zonder je dierbaren. Hoewel, zou het mét hen niet erger zijn? De pijn van het alleen sterven versus de kwelling om iemand van wie je houdt ook te zien sterven...' De demonenmeester zucht. 'Wat een tragedie.'

Hij zweeft naar voren. De mensen leunen achterover in hun stoel, maken het gangpad vrij, gehypnotiseerd door de demon die op hen af komt drijven. Bij de derde rij houdt hij stil. In de stoel aan het gangpad zit een jonge vrouw, niet meer dan vijf of zes jaar ouder dan ik. Hij steekt een van zijn acht slijmerige handen uit en streelt haar wang. Dan pakt hij rustig haar kaak beet.

'Als troost in deze smartelijke tijd beloof ik je dat je leed van korte duur zal zijn,' zegt Lord Loss terwijl hij naar de jonge vrouw glimlacht.

Ik zie tranen in haar ogen. Zijn vingers sluiten zich om haar kaak. Hij rukt de onderste helft van haar gezicht weg en gooit het naar Arterie, die het met de muilen in zijn hand opvangt, het in tweeën scheurt en verslindt, keffend als een hond die een lekker hapje krijgt toegeworpen.

'Maar het zal wel pijnlijk zijn,' voegt Lord Loss er met pervers genot aan toe.

Een kind probeert te schreeuwen. Zijn vader legt een hand over de mond van het kind en smoort de schreeuw. Iedereen staart de demonenmeester aan, verlamd. Dit is de stilte voor de storm. Binnen enkele seconden is deze cabine veranderd in een uitzinnige chaos. Maar niemand wil als eerste de betovering verbreken. Misschien denken ze – we – dat als we zo blijven zitten, bewegingloos en nauwelijks ademhalend, de nachtmerrie voorbij gaat. Dat de demonen dan niet zullen losbarsten. Dat deze schepselen van het kwaad ons dan niet zullen afslachten en laten leegbloeden.

Opeens zie ik een beweging achter Lord Loss. Iemand komt de cockpit uit en werpt een blik de cabine in, leunt opzij om langs de demonenmeester te kunnen kijken. De knoop in mijn maag wordt zo mogelijk nog strakker, maar uiteindelijk vind ik mijn stem terug.

'*Juni!*' schreeuw ik. 'Ga daar weg! Snel! Voordat hij –'

'Nee maar, meester Grubitsch,' onderbreekt Lord Loss me, duidelijk in verrukking. 'Jij? Hier? Wat een heerlijk toeval.'

Juni glipt om de zwevende demon heen. Lord Loss besteedt geen aandacht aan haar. Hij heeft alleen maar oog voor mij. Met een verlekkerde blik en opgeblazen borstkas kijkt hij me aan. De slangen sissen wilder dan ooit. Een moment lang denk ik dat Juni weer een camoufleerbetovering heeft uitgesproken, dat hij haar niet kan zien. Mijn hoop laait op, een kleine flikkering. En dooft weer net zo snel wanneer ze zegt: 'Ik heb hem ontboden, Grubbs.'

Er gaat een ijzige kou door me heen. 'Jij…?' Ik hap naar adem. 'Waarom?'

'Hij is de enige die je kan genezen,' antwoordt Juni. 'Weet je nog wat ik tegen Derwisj heb gezegd? Ik zei dat je opnieuw de uitdaging moest aangaan.

Ik zei dat het dwaas was om het niet nogmaals te proberen.'

'Wat heb je gedaan?' krijs ik. 'Met Lord Loss valt niet te onderhandelen. Híj helpt ons niet. Hij zal me vermoorden. Hij zal jou vermoorden. Hij zal ons allemaal vermoorden!'

'Weet je wat?' mompelt Juni. Ze fronst en knikt bedachtzaam, alsof de gedachte net bij haar opkomt. 'Ik denk dat je gelijk hebt. Met één uitzondering.'

Links van Juni zit een man met een kind op schoot. Juni strekt zich uit en probeert het kind uit zijn armen te nemen. Hij laat niet los. Ze trekt, maar hij houdt het kind stevig vast. Ze haalt haar schouders op, leunt naar voren en zoent de man. Ik staar haar met open mond aan, verbijsterd. Maar de verwarring maakt al snel plaats voor ontzetting wanneer de huid van de man eerst grijs wordt en vervolgens afbladdert, zodat de bloedvaten en de beenderen eronder zichtbaar worden. Hij schokt als een bezetene, maar hij heeft het kind, dat is gaan huilen, nog steeds vast.

Juni blijft hem zoenen, totdat er een scherp knappend geluid klinkt. Ze tilt haar hoofd op en het gezicht van de man zit aan het hare vastgeklonken. Zijn hoofd is bij de nek afgebroken en de overblijfselen van zijn lippen zitten tussen haar tanden geklemd.

Ze draait haar hoofd opzij en spuugt het hoofd van de man uit.

De paniek barst los. De mensen worden dol en verdringen elkaar op het gangpad. De demonen gniffelen en storten zich met hernieuwd genoegen op de mensen om hen heen. De slachting komt tot volle bloei.

Ik houd stand, versteend, met meer afschuw vervuld dan ooit, en staar naar Juni. Ze kijkt me met wellustige blik aan en veegt haar lippen af. Dan zweeft Lord Loss naar haar toe. Hij slaat vier armen om de albino heen en tilt haar op. Ze glimlacht naar hem en kust hem op zijn wang. Ze likt een druppel bloed van zijn mondhoek. Ze wijst naar me, ze grijnst als een tijger en zegt: 'Hij is geheel de uwe – *meester*.'

Wordt vervolgd...

Lees ook de andere delen uit de

DEMONATA-serie:

Grootmeester van het Kwaad

– Demonata 1

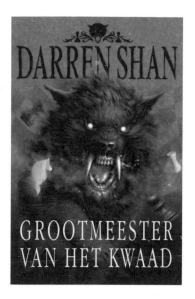

'*De deur voelt bloedheet, alsof er een brand achter woedt. Ik druk mijn oor tegen het hout, maar ik hoor geen geknetter. Geen rook. Alleen een diepe zware ademhaling. Mijn hand ligt op de deurknop. In de kamer lacht iemand – laag, schor en sadistisch. Ik hoor een scheurend en knappend geluid, gevolgd door geknars. Ik open de deur. Voor me openbaart zich de hel op aarde.*'

Als Grubbs Grady voor het eerst de Grootmeester van het Kwaad en zijn duivelse dienaren ontmoet, leert hij drie dingen: 1) de wereld is verdorven, 2) er is magie en 3) demonen bestaan echt. Grubbs kan zich niet voorstellen dat hij ooit nog zo'n afgrijselijke nacht vol dood en verderf zal meemaken. Maar daarin vergist hij zich…

'Darren Shan is zonder enige twijfel een fantastische ontdekking voor kinderen.'
The Independent

ISBN 978 90 261 3138 7

De delen uit de Demonata-serie staan op zichzelf en zijn apart van elkaar te lezen.

Demonenjager

– Demonata 2

Kernel Fleck ziet af en toe
vreemde vlekken in de lucht. Op
een dag ontdekt hij dat hij deze
lichtvlekken met elkaar kan ver-
binden. Zo creëert hij een raam
dat toegang geeft tot een andere
wereld waarin hij verdwijnt. Als
hij later terugkeert, kan hij zich
er niets meer van herinneren. In
paniek verhuizen zijn ouders
met het hele gezin naar een afgelegen dorp.

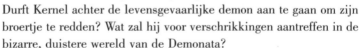

Het nieuwe leven bevalt uitstekend, totdat een oude vrouw een
demon oproept. Het monster
ontvoert Kernels broertje naar zijn eigen wereld.

Durft Kernel achter de levensgevaarlijke demon aan te gaan om zijn
broertje te redden? Wat zal hij voor verschrikkingen aantreffen in de
bizarre, duistere wereld van de Demonata?

ISBN 978 90 261 3173 8

Slagtenstein

– Demonata 3

Happy endings bestaan niet. Ook al overwin je grote obstakels, overleef je levensgevaarlijke situaties, heb je de duivel in de ogen gekeken en kun je het verhaal nog navertellen. Maar daarmee is het verhaal niet af. Zolang je ademt, dreigt er gevaar.

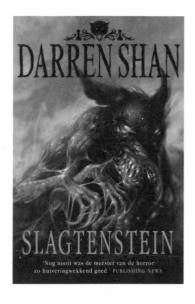

Sinds oom Derwisj terug is uit de wereld van de demonen, wordt hij geplaagd door nachtmerries. Grubbs doet er alles aan om zijn oom zo goed mogelijk op te vangen. Samen proberen ze een bestaan op te bouwen vrij van demonen. Wanneer een legendarische filmregisseuse Derwisj vraagt om haar te assisteren bij een horrorfilm, lijkt dat een goede manier om de dagelijkse sleur te doorbreken en een leuke tijd te hebben. Maar hun aanwezigheid op de filmset van *Slagtenstein* brengt bij Grubbs en zijn vriend Bill-E meer boven dan hun lief is. Loopt dit avontuur wel goed af?
Lichten... camera... draaien maar!

ISBN 978 90 261 3212 4

Demonenbloed

– Demonata 4

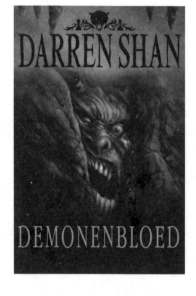

Wanneer haar moeder sterft, blijft Bec alleen achter. Ze wordt gevonden en opgevoed door een groep krijgers. Na enige tijd blijkt dat ze bijzondere krachten bezit.

Wanneer de groep krijgers aangevallen wordt door bloeddorstige demonen, probeert Bec de mannen zo goed mogelijk bij te staan. Maar haar magie is nog niet sterk genoeg en de krijgers vrezen dat de demonen terug zullen keren.

Dan ontmoet Bec de druïde Drust, die haar helpt haar krachten te ontwikkelen. Onder zijn leiding beginnen Bec en de krijgers aan een gevaarlijke tocht om de demonen te verslaan.

Bec komt voor een onmogelijke opdracht te staan: er moet een offer gebracht worden om de demonen voorgoed te verdrijven, en niet zómaar een offer!

ISBN 978 90 261 1168 6